THE
Archive Photographs
SERIES

SIR Y FFLINT
FLINTSHIRE

Gwaenysgor: merch ifanc yn tynnu dŵr o'r hen bwmp yn Lôn y Ffynnon, tua 1900.
Gwaenysgor: a young girl draws water from the old pump in Well Lane, c. 1900.

THE
Archive Photographs
SERIES

SIR Y FFLINT
FLINTSHIRE

Casglwyd gan / *Compiled by*
Archifdy Sir y Fflint
Flintshire Record Office

CHALFORD

First published 1996
Copyright © Flintshire County Council, 1996

The Chalford Publishing Company
St Mary's Mill, Chalford,
Stroud, Gloucestershire, GL6 8NX

ISBN 0 7524 0692 2

Typesetting and origination by
The Chalford Publishing Company
Printed in Great Britain by
Redwood Books, Trowbridge

Cydnabyddiaethau
Acknowledgements

Dymuna Archifdy Sir y Fflint gydnabod yn ddiolchgar berchnogion y
ffotograffau a'r dogfennau a atgynhyrchir yn y llyfr hwn.
Y maent yn rhy niferus i'w henwi, ond ni fyddai'r gyfrol wedi cael ei llunio heb
eu haelioni a'u cefnogaeth ymroddedig i dreftadaeth archifol Sir y Fflint.

*The Flintshire Record Office would like to offer its grateful thanks to the owners of
photographs and documents reproduced in this book.
Without their generosity and committed support to the archival heritage of Flintshire
this work could not have been compiled.*

Cynnwys/Contents

Rhagair/*Foreword*   6

Cyflwyniad/*Introduction*   7

Cydnabyddiaethau/*Acknowledgements*   8

1. Y Fflint/*Flint*   9

2. Yr Wyddgrug/*Mold*   19

3. Bwcle/*Buckley*   33

4. Prestatyn/*Prestatyn*   43

5. Y Rhyl/*Rhyl*   57

6. Llanelwy/*St Asaph*   69

7. Penarlâg/*Hawarden*   75

8. Treffynnon/*Holywell*   85

9. Glannau Dyfrdwy Diwydiannol /*Industrial Deeside*   97

10. Pentrefi Sir y Fflint/*Flintshire Villages*   111

Owrtyn: tîm criced y pentref, tua 1870.
The Overton village cricket team, c. 1870.

Rhagair/Foreword

Gan Syr William Gladstone, Bg, YH.
Arglwydd Raglaw EM Sir Clwyd a Custos Rotulorum
By Sir William Gladstone, Bt., JP.
HM Lord Lieutenant for the County of Clwyd and Custos Rotulorum

Yr oedd Cyngor yr hen Sir y Fflint ymhlith yr awdurdodau lleol cyntaf yng Nghymru i sefydlu archifdy modern. Fe'i lleolwyd yn Yr Wyddgrug o 1951, ac yna yn yr Hen Reithordy ym Mhenarlâg er 1962. Mae Archifdy Sir y Fflint, dros gyfnod o tua phedwar deg pump o flynyddoedd, wedi casglu, rhestru a storio treftadaeth archifol y sir gan sicrhau ei bod ar gael i'r cyhoedd. Datblygwyd yr archif ffotograffau drwy haelioni a chefnogaeth y cyhoedd, trwy roddion, trwy gopïo ffotograffau gwreiddiol a thrwy fenthyciadau, ac mae'r casgliad yn parhau i dyfu. Dim ond trwy gymwynasgarwch nifer o unigolion a sefydliadau y gellir rhoi ar gof a chadw y dreftadaeth ffotograffig gyfoethog a'i dangos i eraill.

Cafodd yr enwau Sir y Fflint ac Archifdy Sir y Fflint eu hadfer yn sgîl Deddf Llywodraeth Leol (Cymru) a ddaeth i rym ar 1 Ebrill 1996. Mae'r cyhoeddiad hwn, mewn cydweithrediad a'r Chalford Press, yn nodi menter gyntaf yr archifdy ail-sefydledig, a rhagwelir yn hyderus nad hwn fydd yr olaf.

The former Flintshire County Council was one of the first local authorities in Wales to establish a modern record office. Initially housed in the County Buildings in Mold from 1951, and since 1962 at the Old Rectory, Hawarden, the Flintshire Record Office has for some forty-five years collected, listed, stored and made available the archival heritage of the county. The photographic archive has been (and continues to be) built-up by the generosity and support of the public, through gifts, by the copying of cherished originals and by loan. It is only through the public-spiritedness of many individuals, and many organisations, that the rich photographic heritage can be preserved and shown.

The name of Flintshire, and of the Flintshire Record Office, was restored with the coming into effect of the Local Government (Wales) Act on 1 April 1996. This publication, in conjunction with the Chalford Press, marks the first venture of the re-established record office but, it is confidently expected, not the last.

william E Gladstone

Grŵp blant yn sefyll yn ddiogel yng nghanol y ffordd ger swyddfeydd hen Gyngor Dosbarth Trefol Bwcle, tua 1910.
A group of children posing quite safely in the middle of the road near the old Buckley Urban District Council offices, c. 1910.

Cyflwyniad

Gan y Cyng. Chris Bithell, BA (Anrh)
Cadeirydd y Pwyllgor Llyfrgelloedd a Gwybodaeth, Cyngor Sir y Fflint

Mae Sir y Fflint, dros gyfnod hanesyddol hir ac amrywiol, wedi bod yn enw ar amryw ardaloedd gweinyddol yng Ngogledd-Ddwyrain Cymru. Crewyd y sir gan Senedd Edward I yn Rhuddlan ym 1284, ac yn wreiddiol, cynhwysai gantref Tegeingl (arglwyddiaeth Englefield), Cwmwd Yr Hôb (Hopedale) a Maelor Saesneg; hynny yw, y tiroedd i'r gogledd o'r llinell a dynnir rhwng Bodfari a Chei Connah, rhan ganol Dyffryn Alun, gan gynnwys Yr Hôb a Chaergwrle, ac ardal wahanedig Maelor. Bu Deddf ym 1541 yn ystod teyrnasiad Harri VIII yn gyfrifol am ychwanegu at y sir ganoloesol arglwyddiaethau'r Wyddgrug a Phenarlâg, trefgorddau gwahanedig Marford a Hoseley, a chyfyngodd ar bwerau esgobion Llanelwy dros eu tiroedd yn Llanelwy a Meliden. Parhaodd Sir y Fflint tan y presennol, felly, er i'w chymunedau gael eu cynnwys yn gyfangwbl o fewn sir fyr-hoedlog Clwyd o 1974 tan 31 Mawrth 1996.

Ar 1 Ebrill 1996, daeth Sir y Fflint newydd i fodolaeth, yn ymestyn o Lanasa yn y gogledd i'r Hôb yn y de, o Gei Connah yn y dwyrain i Gilcain yn y gorllewin, ardal gryno o tua 145,000 o bobl, ac yn ei hanfod mae'n rhan ganolog o'r sir hanesyddol.

Dewiswyd y lluniau yn y llyfr hwn o blith yr archifau ffotograffig niferus a gedwir yn yr Archifdy ym Mhenarlâg ac maent yn disgrifio ardal Sir y Fflint hanesyddol. Mae'r ffotograffau'n dangos byd amaeth a diwydiant, trefi a phentrefi, cerbydau ceffyl a ffyrdd heb fetlin, rheilffyrdd stêm, golygfeydd bywiog mewn strydoedd a lonydd digyffro cefn gwlad, siopau a marchnadoedd, tristwch y coffáu a llawenydd y dathlu. Fodd bynnag, nid oherwydd yr atgofion hiraethus y mae'r lluniau hyn yn werthfawr ond yn hytrach am eu bod yn dangos cymunedau real, pobl yn byw bywyd o ddydd i ddydd, nid parc thema mewn du a gwyn. Mewn byd sy'n cynyddol newid, mae ffotograffau archifol yn caniatáu i ni uniaethu gyda'n cymunedau presennol trwy ddangos i ni batrymau cyfoethog y gorffennol.

R. C. Bithell.

Introduction

By Cllr. Chris Bithell, BA
Chairman of the Libraries and Information Committee, Flintshire County Council

Throughout a long and varied history, Flintshire has described different administrative areas in north-east Wales. The county was created by Edward I's Parliament at Rhuddlan in 1284 and first comprised the cantref of Tegeingl (the lordship of Englefield), the Commote of Hope (Hopedale) and the Maelor Saesneg (the English Maelor); that is, the lands north of a line drawn between Bodfari and Connah's Quay, the middle portion of the Alun valley including Hope and Caergwrle, and the detached area of the Maelor. During the reign of Henry VIII, an Act of 1541 added to the medieval county the lordship of Mold and Hawarden, the detached townships of Marford and Hoseley, and limited the powers of the bishops of St Asaph over their lands at St Asaph and Meliden. Thus constituted, Flintshire remained to the present-day, though from 1974 until 31 March 1996 its communities were wholly subsumed within the short-lived county of Clwyd.

On 1 April 1996, the new county of Flintshire came into being, now delineated by Llanasa in the north and Hope in the south, Connah's Quay in the east and Cilcain in the west, a compact area of some 145,000 people, and essentially the central area of the historic county.

The illustrations in this book have been chosen from the extensive photographic archive of the Flintshire Record Office at Hawarden and describe the area of historic Flintshire. The photographs show industries and agriculture, towns and villages, horse-drawn transport, unmetalled roads and steam railways, lively street scenes and quiet country lanes, shops and markets, sombre memorials and happy celebrations. But the value of the photographs is not one of simple nostalgia: rather, they show real communities, real lives being led and not a black and white theme park. In an increasingly changing world, the photographic archive allows us to identify with our present-day communities by revealing the rich patterns of the past.

R. C. Bithell.

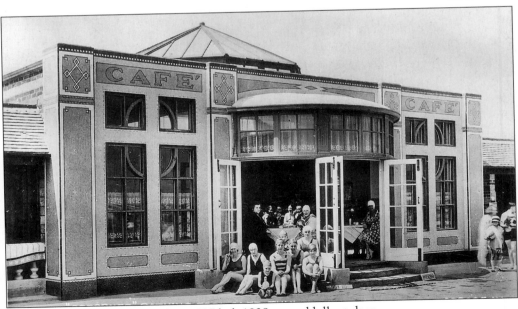

Caffi Osbornes ger y Pwll Nofio yn Y Rhyl, 1938, yn arddull art deco.
Osbornes' art deco-style bathing pool café, Rhyl, 1938.

Rhan Un/Section One
Y Fflint
Flint

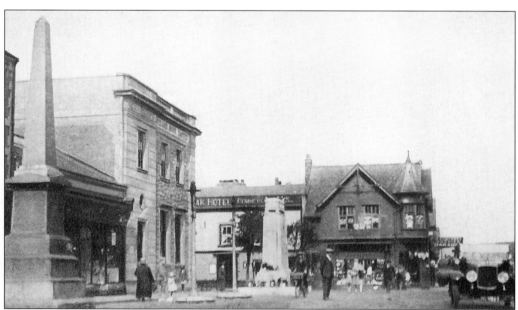

Sgwâr Trelawney, tua 1930, gyda'r obelisg i goffáu Rhyfel De Affrica yn y blaendir. Gerllaw, gellir gweld y gofeb i'r rhai a fu farw yn ystod y Rhyfel Byd Cyntaf.
Trelawney Square, c. 1930, with the South African War obelisk in the foreground and, nearby, the memorial to the fallen of the town in the First World War.

Neuadd y Dref, Y Fflint, tua 1910. Wedi ei chynllunio gan John Welch mewn arddull
Duduraidd-Gothig, fe'i codwyd yn lle'r adeilad Elizabethaidd a oedd wedi adfeilio erbyn 1840.
*Flint Town Hall, c. 1910. Designed by John Welch in the Tudor Gothic style, it replaced a by-then
dilapidated Elizabethan building in 1840.*

Siop nwyddau haearn a garej T.H. Pumphreys ar gornel Stryd yr Eglwys a Ffordd Treffynnon,
tua 1912.
*T.H. Pumphreys, ironmongery and garage at the corner of Church Street and Holywell Road,
c. 1912.*

10

Tafarnwr a'i deulu y tu allan i dafarn y Crown, tua 1910
A publican and his family outside the Crown Inn, c. 1910.

Carchar Y Fflint, tua 1950. Adeiladwyd carchar y sir, a gynlluniwyd gan Joseph Turner, yn adran allanol y castell ym 1784-5. Gwnaed defnydd amrywiol ohono ar ôl i'w swyddogaeth wreiddiol gael ei throsglwyddo i'r carchar sirol newydd yn Yr Wyddgrug ym 1870 ac fe'i dymchwelwyd ym 1969.
Flint Gaol, c. 1950. The county prison, designed by Joseph Turner, was built in an outer ward of the castle in 1784-5. It saw a variety of uses after its original function passed to the new county gaol at Mold in 1870 and was only finally demolished in 1969.

David Lloyd George yng ngorsaf Y Fflint ar 13 Tachwedd 1922. Yn sefyll ar y platfform y mae Lefftenant-Cyrnol T.H. Parry, ymgeisydd y Rhyddfrydwyr yn etholiad cyffredinol 1922.
David Lloyd George at Flint railway station on 13 November 1922. Standing on the platform is Lieutenant-Colonel T.H. Parry, the Liberal candidate in the general election of 1922.

Stryd yr Eglwys tua 1920. Mae'r lôn o goed gwyrdd yn cyferbynnu a'r ffordd a'r adeiladau. Gwelir neuadd y dref yn y blaendir ar y dde.
Church Street, c. 1920. The avenue of trees provides a green contrast to the road and buildings. The town hall appears in the right foreground.

Tyrfa o blant chwilfrydig yn edrych ar olygfa ryfedd dros ben – morfil wedi ei olchi i'r lan ger Castell Y Fflint, tua 1911
A crowd of curious children view a particularly unusual sight – a whale washed-up on the shore near Flint Castle, c. 1911.

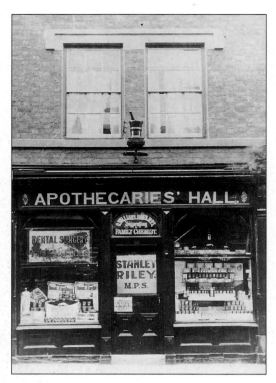

Apothecaries' Hall, 28 Stryd yr Eglwys, tua
1910.
*Apothecaries' Hall at 28 Church Street,
c. 1910.*

Daeargwn a magnel yng Nghastell y Fflint,
tua 1930.
Terriers and canon at Flint Castle, c. 1930.

Melin Bapur Oakenholt, tua 1874. Yn gweithio wrth y bwrdd cyntaf y mae Miss E. Thomas, ar y chwith, a Herbert Thomas, ar y dde.
Oakenholt Paper Mill, c. 1874. At work on the front table is Miss E. Thomas, left, and Herbert Thomas, on the right.

Tocynnau ceiniog Gweithfeydd Plwm Y Fflint a wnaed ym 1813.
Penny tokens from the Flint Lead Works minted in 1813.

Nyrs Jones yn Y Fflint ym 1931. Yn fydwraig wedi ei hyfforddi yn Llundain, yr oedd yn nyrs ardal boblogaidd ac uchel ei pharch am nifer o flynyddoed ac yn ystod ei gyrfa hir mae'n debyg mai hi ddaeth â mwyafrif o blant y dref i'r byd. *Nurse Jones in Flint in 1931. A London-trained midwife, she was a well-liked and highly respected district nurse for many years and during her long career probably delivered most of the children born in the town.*

Tyrfaoedd yn ymgynnull i weld cysegru'r gofeb i Ryfel De Affrica gan y Canon Nicholas ar 24 Hydref 1903. Gwnaed y gofeb, ar ffurf obelisg, o wenithfaen coch gan Thomas Williams o'r Fflint; mae'n sefyll y tu allan i Neuadd y Dref heddiw.
Crowds gather to witness the dedication of the memorial to the South African War by Canon Nicholas on 24 October 1903. The memorial, in the shape of an obelisk, was crafted by Thomas Williams of Flint from red granite; it now stands outside the Guildhall.

Y Ffiwsilwyr Cymreig yn derbyn hyfforddiant yn Y Fflint ym 1914. Yr adeilad lle mae'r gwellt ynddo yw Ysgol y Cyngor, Y Fflint.
Royal Welch Fusiliers training at Flint in 1914. The straw-strewn building is Flint Council School.

Gwaith Courtaulds, tua 1925. Cymerodd y cwmni feddiant ar ffatri British Glasztoff yn ystod y Rhyfel Byd Cyntaf a'i ailenwi'n Aber Works; dechreuodd eu Castle Works ym 1922.
Courtaulds Works, c. 1925. The company acquired the British Glasztoff factory during the First World War, renaming it the Aber Works; their Castle Works were begun in 1922.

Trên teithwyr yn gadael gorsaf reilffordd Y Fflint, tua 1960. Cynlluniwyd yr orsaf wreiddiol gan Francis Thompson a'i chwblhau yn ystod 1847-8.
A passenger train leaving Flint railway station, c. 1960. The original station was designed by Francis Thompson and completed in 1847-8.

Rhan Dau/Section Two
Yr Wyddgrug
Mold

Y Groes, 1880au. Mae eglwys y plwyf, sy'n dyddio o'r bymthegfed ganrif, (ailadeiladwyd ei thŵr ym 1773) a'r hen neuadd farchnad (yn y blaendir ar y chwith), a godwyd tua 1850, yn ddau o'r adeiladau amlycaf hyd heddiw.

The Cross, 1880s. The fifteenth-century parish church (with its tower, rebuilt in 1773) and the old market hall (left, foreground) built c. 1850, remain two of the most prominent buildings in the town.

Stryd Wrecsam, tua 1900. Mae Neuadd y Farchnad (yn y pellter canol) yn ymddangos yn dalach o lawer nag ydyw heddiw oherwydd yr ail lawr a ychwanegwyd ym 1874; fe'i tynnwyd i lawr pan oedd yr adeilad yn cael ei adfer ym 1985.

Wrexham Street, c. 1900. The old Market Hall (in the middle distance) appears much taller in this view than it is today because of the second storey, added in 1874, which was removed during restoration of the building in 1985.

Ymweliad y Cadfridog Booth â'r Wyddgrug, 1906. Yr oedd sylfaenydd Byddin yr Iachawdwriaeth, William Booth, yn ffigur cenedlaethol erbyn hyn a denai dyrfaoedd mawr pan ymddangosai'n gyhoeddus ledled y wlad.

General Booth's visit to Mold, 1906. Founder of the Salvation Army, William Booth was by this time a national figure who attracted large crowds at his public appearances across the country.

Diwrnod Marchnad yn y Stryd
Fawr, tua 1910 (uchod) a'r 1940au
(isod). Heddiw, cynhelir
marchnadoedd yn Yr Wyddgrug ar
ddydd Mercher ac ar ddydd Sadwrn.
Mae marchnad dydd Mercher yn
dyddio o ddechrau'r ddeunawfed
ganrif o leiaf.

Market day in the High Street,
c. 1910 (right) and 1940s (below).
Today, street markets in Mold are held
on Wednesdays and Saturdays. The
Wednesday market goes back to at
least the early eighteenth century.

High Street, Mold, Fair Day.

Cofgolofn Daniel Owen ac Adeiladau'r Sir, tua 1905. Codwyd y golofn yn gofeb genedlaethol i Daniel Owen a'i dadorchuddio gan yr Arglwydd Kenyon ar 30 Hydref 1901, gyda Syr Herbert Lewis AS yn llywyddu'r seremoni. Fe'i symudwyd i'w safle presennol ger y llyfrgell ym 1979 er mwyn gwneud lle ar gyfer swyddfa newydd yr heddlu.

Daniel Owen monument and County Buildings, c. 1905. Erected as a national monument, this statue of Daniel Owen was unveiled by Lord Kenyon on 30 October 1901, with Sir Herbert Lewis MP presiding over the proceedings. It was moved to its present position near the branch library in 1979, to make way for the new police station.

Adeiladau'r Sir, Stryd y Brenin, 1970au. Fe'u codwyd fel barics ar gyfer milisia'r sir ym 1858, ac fe'u defnyddiwyd am gyfnod o tua 70 mlynedd, o 1897 ymlaen, fel swyddfeydd Cyngor Sir y Fflint nes i Neuadd y Sir newydd gael ei chwblhau ym 1967. Dymchwelwyd Adeiladau'r Sir yn y 1970au.

County Buildings, King Street, 1970s. Built as a barracks for the county militia in 1858, these were the offices of Flintshire County Council from 1897 until a new Shire Hall was completed in 1967. The County Buildings were demolished in the 1970s.

Staff Swyddfa'r Post, Yr Wyddgrug, tua 1909. Rupert a Martha Prince (y pedwerydd a'r drydedd o'r chwith, rhes flaen) oedd y postfeistr a'r bostfeistres o tua 1885. Yr oedd Swyddfa'r Post yn Stryd Caer pan dynnwyd y llun.

Mold Post Office staff, c. 1909. Rupert and Martha Prince (fourth and third from left, front row) were postmaster and postmistress from c. 1885. When this photograph was taken the post office was in Chester Street.

Stryd Caer, tua 1960. Yr oedd Swyddfa'r Post yn Stryd Caer o tua 1900 nes iddi symud i adeilad newydd yn Ffordd yr Iarll ym 1962. Mae cyfnewidfa Telecom Prydain yn hen adeilad Swyddfa'r Post yn Stryd Caer.

Chester Street, c. 1960. The post office was in Chester Street from c. 1900 until it moved to a new building in Earl Road in 1962. The British Telecom telephone exchange building occupies the former Chester Road site.

Benjamin Powell & Co, pobyddion a theisenwyr, tua 1888. Lleolwyd becws Powell yn 30 Y Stryd Fawr (a adwaenid hefyd fel Mitcham House) o'r 1860au tan tua 1925.
Benjamin Powell & Co., bakers and confectioners, c. 1888. Powell's bakery was at 30 High Street (known also as Mitcham House) from the 1860s until about 1925.

Fan ddosbarthu y North Wales Cake Co., 1930au. Dechreuodd y cwmni fasnachu yn Yr Wyddgrug tua 1920 ac mae'n amlwg bod ganddo safonau uchel; enillodd fedalau mewn amryw arddangosfeydd masnach, gan gynnwys rhai yn Llundain a Birmingham.
North Wales Cake Co. delivery van, 1930s. The company began trading in Mold about 1920 and clearly set very high standards, for it won medals at various trade exhibitions including London and Birmingham.

Brannan's, deliwr cyffredinol, y
Stryd Fawr yn y 1930au.
Dechreuodd James Brannan fel
brocer metel a deliwr cyffredinol
ym Mwcle yn y 1870au, ac o fewn
deng mlynedd roedd wedi ehangu ei
fusnes i'r Wyddgrug, gyda siopau yn
yr Orsaf Reilffordd, Y Stryd Fawr ac
yn Stryd Caer.
*Brannan's, general dealer, High
Street, 1930s. James Brannan started
as a metal broker and general dealer in
Buckley in the 1870s, and within ten
years had expanded his business to
Mold, with shops at the railway
station, High Street and Chester
Street.*

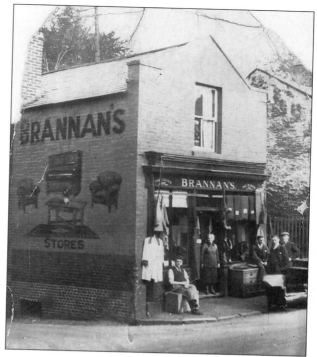

J. Griffiths, cigydd, Stryd Wrecsam, tua 1910. Roedd siop gig John Griffiths yn 33 Stryd
Wrecsam o tua 1891 ymlaen. Yn ogystal, prynodd adeilad newydd yn Stryd Newydd yn y
1920au a pharhaodd i fasnachu yno tan y 1950au.
*J. Griffiths, butcher, Wrexham Street, c. 1910. John Griffiths's butcher's shop was at 33 Wrexham
Street from about 1891. He also acquired additional premises in New Street in the 1920s, continuing
to trade there into the 1950s.*

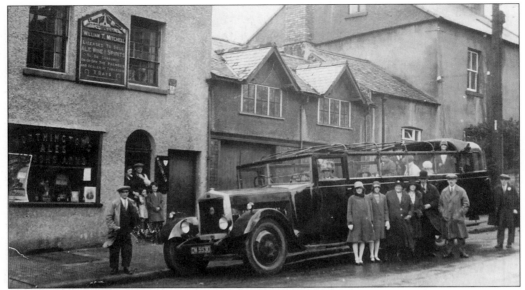

Siarabang y tu allan i'r Masons' Arms, 1920au. Roedd y Masons' Arms ym mhen ucha'r Stryd Fawr (gyferbyn â swyddfeydd Keene & Kelly, cyfreithwyr) o'r 1840au nes iddo gau ym 1931. *Charabanc outside the Masons' Arms, 1920s. The Masons' Arms was at the top of the High Street (opposite the offices of Keene & Kelly, solicitors), from the 1840s until it closed in 1931.*

Y Britannia Inn, Stryd Wrecsam, tua 1910. Mae'r Britannia'n dyddio o'r 1840au ac yr oedd yn un o dair tafarn yn Stryd Wrecsam; y Llew Aur a'r Llew Coch oedd y ddwy arall. Caeodd yn y 1960au.
Britannia Inn, Wrexham Street, c. 1910. The Britannia dates from the 1840s when it was one of three public houses in Wrexham Street, the others being the Golden Lion and the Red Lion. It finally closed in the 1960s.

Ysbyty Yr Wyddgrug, tua 1896. Er iddo gael ei godi ym 1877, ni dderbyniodd ei gleifion cyntaf tan 1879 oherwydd prinder arian. Mae'r adeilad brics coch ger Bryn y Beili wedi bod yn ganolfan adnoddau ar gyfer iechyd meddwl er 1974 (pryd yr agorwyd ysbyty cymunedol newydd gerllaw).

Mold Cottage Hospital, c. 1896. Although built in 1877, a shortage of money prevented it admitting its first patients until 1879. Since 1974, when a new community hospital was opened nearby, the red brick building near Bailey Hill has been a mental health resource centre.

Bryn Awel, 1920au. Fe'i codwyd tua 1890 ar safle tŷ arall a bu'n gartref i Henry Roberts, rheolwr melinau blawd Alun, Yr Wyddgrug, a pherchennog siop groser yn y Stryd Fawr, tan tua 1910. Addaswyd Bryn Awel yn westy yn y 1960au.

Bryn Awel, 1920s. Built about 1890 on the site of an earlier house, it was the residence until c. 1910 of Henry Roberts, manager of the Alun flour mills, Mold and owner of a grocery business in the High Street. Bryn Awel was converted into a hotel in the 1960s.

Ysgol y Cyngor, Yr Wyddgrug – dosbarth y bechgyn, tua 1912. Lleolwyd Ysgol y Cyngor, Ysgol Bwrdd Yr Wyddgrug gynt (cyn Gorffennaf 1904), yn adeilad yr hen Ysgol Brydeinig yn Ffordd Glanrafon, a godwyd ym 1843.

Boys' class at Mold Council School, c. 1912. The Council School, previously (before July 1904) Mold Board School, occupied the old British School building in Glanrafon Road erected in 1843.

Staff Ysgol Alun Yr Wyddgrug, 1932. Yn y grŵp y mae Owen Hughes, y prifathro (canol) a'r Dr Rowland Middleton, yr athro cerdd (ar y dde i'r prifathro). Yr oedd Ysgol Alun mewn adeiladau yn Stryd Grosvenor y pryd hwnnw (Ysgol Gynradd Bryn Coch bellach).

Staff of Mold Alun School, 1932. The group includes Owen Hughes, headmaster (centre) and Dr Rowland Middleton, music master (right of headmaster). Mold Alun School at this time occupied buildings in Grosvenor Street (now Bryn Coch primary school).

Adran Yr Wyddgrug o Heddlu Sir y Fflint, tua 1926. Mae'r Adran yn dyddio o ganol y ganrif ddiwethaf yn dilyn ffurfio Heddlu Sir y Fflint ym 1857.
Mold Division, Flintshire Constabulary, c. 1926. The Division dates back to the middle of the last century following the formation of the Flintshire Constabulary in 1857.

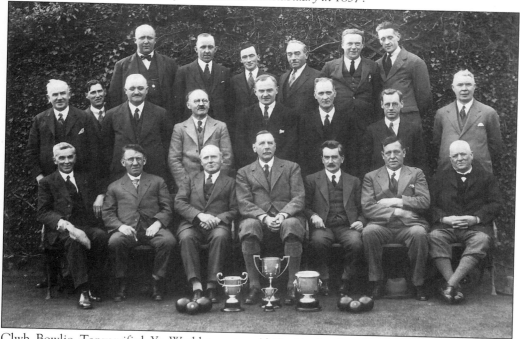

Clwb Bowlio Tanysgrifiol Yr Wyddgrug, tua 1940. Lleolwyd y Clwb yng nghefn Gwesty'r Dolphin a defnyddiai'r lawnt fowlio ar Fryn y Beili.
Mold Subscription Bowling Club, c. 1940. The Club was housed in premises to the rear of the Dolphin Hotel and used the bowling green on the Bailey Hill.

Gweithwyr Cwmni Tunplat Dur Alun, 1911. Sefydlwyd y cwmni, a adwaenid yn wreiddiol fel Mold Tinplate Co., ym 1873 gan Rowland Morgan, William Williams a John Hughes, oll o Dde Cymru. Daethant â nifer bychan o grefftwyr gyda hwy i ffurfio cnewyllyn y gweithlu. Cyn hyn, Melin Gotwm Yr Wyddgrug oedd ar y safle, ger Maesydref, ond fe'i dinistriwyd gan dân ym 1866. Prynwyd y gweithfeydd gan gwmni Synthite Cyf. tua 1950, gwneuthurwr fformaldehyd a chemegau eraill.

Alyn Steel Tinplate Co. workers, 1911. The company, originally known as the Mold Tinplate Co., was founded in 1873 by Rowland Morgan, William Williams and John Hughes, all from south Wales who brought with them a small number of skilled men to form the nucleus of the workforce. The site, near Maesydre, had previously been occupied by Mold Cotton Mill which was destroyed by fire in 1866. About 1950 the works was acquired by Symthite Ltd, manufacturers of formaldehyde and other chemicals.

Glofa Bryn y Beili, tua 1880. Agorwyd y lofa tua 1875 ac roedd yn cynhyrchu glo hyd at y 1890au, pan oedd George H. Hollingworth yn rheolwr.

Bailey Hill Colliery, c. 1880. The colliery was sunk about 1875, and was in production up to the 1890s when George H. Hollingworth was manager.

Man geni Daniel Owen, tua 1900. Ganed Daniel Owen ar 20 Hydref 1836 yn 53 Long Row, Maes-y-Dref, Yr Wyddgrug. Roedd y teras (sydd wedi ei ddymchwel bellach) ar Ffordd Dinbych, heb fod yn bell o Lofa Argoed, lle roedd ei dad a'i frodyr yn gweithio.

Daniel Owen's birth-place, c. 1900. Daniel Owen was born on 20 October 1836 at 53 Long Row, Maesydre, Mold. The terrace (since demolished) on the Denbigh Road was only a short distance from Argoed Colliery where his father and brothers worked.

Dathlu canmlwyddiant Daniel Owen, 1936, gyda Lloyd George yn rhoi'r anerchiad coffhaol i nodi geni'r nofelydd. Ar yr un llwyfan (wrth ei ymyl, ar y chwith) y mae Fred Llewelyn-Jones, cyn Aelod Seneddol Rhyddfrydol Sir y Fflint (1929-35).

Daniel Owen centenary celebrations in 1936, showing Lloyd George delivering the memorial address to mark the novelist's birth. On the same platform (to his immediate left) is Fred Llewelyn-Jones, former Liberal MP for Flintshire (1929-35).

Gorsedd Eisteddfod Genedlaethol Yr Wyddgrug ar Fryn y Beili, 1923. Mae'r Wyddgrug wedi croesawu'r Eisteddfod dair gwaith dros gyfnod o ganrif a hanner: 1873, 1923 a 1991.
The Gorsedd of Mold National Eisteddfod on Bailey Hill, 1923. Mold has hosted three National Eisteddfodau over the last 150 years: in 1873, 1923 and 1991.

Carnifal Yr Wyddgrug, 1908. Meysydd chwarae'r dref, ger Maes Criced Yr Wyddgrug oedd y lleoliad ar gyfer gwyliau awyr-agored fel hyn. Yn y pellter, ar y chwith, gellir gweld rhes o dai o'r enw Meadow Place, a godwyd tua deng mlynedd cyn i'r ffotograff hwn gael ei dynnu.
Mold Carnival, 1908. The town's playing fields, next to Mold cricket ground, were the setting for many such out-door festivals. In the distance, to the left, can be seen a row of houses called Meadow Place which were built about ten years before this picture was taken.

Rhan Tri/Section Three
Bwcle
Buckley

Y tolldy a siop fferyllydd T.W. Wright ger y Groes, tua 1860.
The toll house and T.W. Wright's chemist's shop at the Cross, c. 1860.

Glofa J.B. Gregory, Mount Pleasant, a'r seidins, tua 1890.
J.B. Gregory's Mount Pleasant Collieries and sidings, c. 1890.

Siop gig Rogers yn Lane End yn y
1890au.
*Rogers's butcher's shop at Lane End in
the 1890s.*

Gorymdaith Jiwbilî Bwcle, tua 1890. Cynhaliwyd Jiwbilî cyntaf Bwcle (neu Wyl yr Ysgol Sul fel y'i galwyd yn wreiddiol) ym 1857 ac mae'r Jiwbilî'n parhau i gael ei gynnal byth ers hynny. Fe'i ysbrydolwyd yn wreiddiol gan aelodau o'r mudiad dirwestol, ond erbyn heddiw mae wedi tyfu'n fwy o sioe a charnifal ar gyfer y dref gyfan, er mai aelodau o'r Ysgolion Sul a'r eglwysi lleol sy'n ffurfio rhan fwyaf o'r orymdaith.

Buckley Jubilee procession, c. 1890. The first Buckley Jubilee (or Sunday Schools Festival as it was originally called) took place in 1857 and the Jubilee has continued to be held every year since. It was originally inspired by members of the temperance movement, but today has become more of a show and carnival for the whole town, although it is still members of the local Sunday schools and churches who make up the largest part of the procession.

Rhai o'r merched mewn Gorymdaith Jiwbilî, ddiwedd y 1950au. Roedd y sgertiau llawn a oedd yn cael eu gwthio allan gan beisiau rhwyd stiff, a'r gwregysau llydan tynn yr oedd y merched yn y blaendir yn eu gwisgo, yn perthyn i ffasiwn diweddaraf y cyfnod.

Some of the ladies in a Jubilee procession of the late 1950s. The full skirts held out by stiff net petticoats and the wide cinched-in belts worn by the girls in the foreground were the very latest fashion at the time.

35

Cwmni Brics a Theils Bwcle, Gwaith Belmont, Rhagfyr 1894. Ymgorfforwyd y cwmni hwn ym 1865. Gwaith Belmont oedd yr uchaf o'r ddau waith brics ar Fynydd Bwcle; Brookhill oedd yr un isaf. Rhoddwyd y gorau iddo ym 1913 wrth i'r clai yno ddod i ben.

Buckley Brick and Tile Company's Belmont Works, December 1894. This company was incorporated in 1865 and the Belmont Works was the upper of its two brickworks on Buckley Mountain, the lower one being Brookhill. It was abandoned in 1913 due to the exhaustion of the clay there.

Gyferbyn: Tair cenhedlaeth o deulu Griffiths, dynion band pres, tua 1895. Roedd William Griffiths (yn eistedd) yn arweinydd Band Gwirfoddolwyr Peirianwyr 1af Sir y Fflint (Bwcle) am nifer o flynyddoedd; roedd ei fab, James (ar y dde), yn arwain Band Tref Bwcle a dilynodd ei fab, John (ar y chwith), ef yn ei dro.

Opposite: Three generations of the Griffiths family, brass bandsmen, c. 1895. William Griffiths (seated) was for many years the conductor of the 1st Flintshire (Buckley) Engineer Volunteers Band. His son, James (right) conducted the Buckley Town Band and was in turn succeeded by his son, John (left).

Gweithwyr a rheolwyr gwaith brics Brookhill, 1894. J.M. Gibson yw'r dyn barfog ar y dde. Dechreuodd ei yrfa fel trafeiliwr i'r cwmni ond erbyn hyn roedd wedi dod yn gyfarwyddwr-reolwr. Ar y chwith eithaf y mae ei fab hynaf, J.P. Gibson, a oedd ar y bwrdd hefyd. Parhaodd y gwaith hwn i gynhyrchu brics tan y 1950au ac ni chafodd ei gau tan 1961.

Workmen and managers of Brookhill brickworks, 1894. The gentleman with the beard on the right of the picture was J.M. Gibson who had started his career as the company's traveller, but had by this time become managing director. On the far left is his eldest son, J.P. Gibson, who was also on the board. This works remained in production until the 1950s and was not finally closed until 1961.

Y Pwyllgor Rheoli Bwyd lleol, 1917-20. Sefydlwyd pwyllgorau i reoli bwyd er mwyn gweinyddu'r system dogni a oedd yn angenrheidiol ar ddiwedd y Rhyfel Byd Cyntaf. Nid oedd hyn mor llym a'r system adeg yr Ail Ryfel Byd ond rheolid siwgr, ac eitemau eraill a gâi eu mewnforio, yn llym. O'r chwith i'r dde, rhes gefn: Levi Thomas, Isaac Edwards, S. Hughes, Robert Hewitt, W. Bentley; rhes ganol: Edward Roberts, James Lamb, Edward Bellis, Peter Wilcock, William Rowlands, E. Gittins; rhes flaen: Joseph Ffoulkes, Eva Jones, Jonathan Catherall, Miss Noones, Mrs T. Jones.

The local food control committee, 1917-20. Food control committees were set up to administer the rationing system which became necessary in the later stages of the First World War. This was not as severe as that imposed during the Second World War but items such as sugar and other imported goods were strictly controlled. From left to right, back row: Levi Thomas, Isaac Edwards, S. Hughes, Robert Hewitt, W. Bentley. Middle row: Edward Roberts, James Lamb, Edward Bellis, Peter Wilcock, William Rowlands, E. Gittins. Front row: Joseph Ffoulkes, Eva Jones, Jonathan Catherall, Miss Noones, Mrs T. Jones.

Glöwyr yn gadael ar ddiwedd shifft yn Nglofa'r Mountain yn y 1920au. Agorwyd y lofa ym 1897 a thrwy ymestyn y gwaith i'r gorllewin ac i'r de o dan y gwythiennau a weithid gan lofeydd eraill llwyddodd i barhau i gynhyrchu glo tan 1930.

Miners leaving at the end of a shift at Mountain Colliery in the 1920s. This colliery was sunk in 1897 and by extending its workings to the west and south below the seams worked by older collieries it remained in production until 1930.

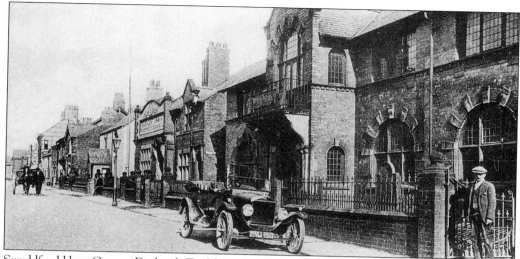

Swyddfeydd hen Gyngor Dosbarth Trefol Bwcle ac adeilad y llyfrgell rydd, Ffordd Yr Wyddgrug, yn y 1920au. Sefydlwyd y Cyngor Dosbarth Trefol o dan Ddeddf Llywodraeth Leol 1894 a hwn oedd y corff a oedd yn gyfrifol am reoli materion yn ymwneud a'r dref tan 1974 pryd y cafodd ei ymgorffori i Gyngor newydd Alun a Glannau Dyfrdwy. Erbyn hyn, mae'r Cyngor hwnnw wedi ei ddiddymu o ganlyniad i'r ad-drefnu diweddaraf. Câi'r llyfrgell, a gwblhawyd ym 1904, ei redeg gan y Cyngor Dosbarth Trefol tan 1965 er iddi dderbyn y rhan fwyaf o'i nawdd gwreiddiol o ffynonellau elusennol. Yr oedd y car yn y blaendir (DM 3960) yn perthyn i Gwmni Glofeydd Bwcle.

The offices of the old Buckley Urban District Council and the free library building, Mold Road, 1920s. The UDC was established under the Local Government Act of 1894 and continued to be the body responsible for ordering the town's affairs until 1974 when it was absorbed into the newly-formed Alyn & Deeside District Council. This has now in turn been abolished in the latest reorganisation. The library, completed in 1904, was also run by the UDC until 1965 although most of the original funding for it had come from charitable sources. The car in the foreground (DM 3960) belonged to the Buckley Collieries Co.

Gweithwyr yn gosod carthffos yn Lane End, tua 1927.
Workmen laying a sewer at Lane End, c. 1927.

Y goelcerth a adeiladwyd ar Dir Comin Bwcle ac a gynheuwyd i ddathlu Jiwbilî Arian y Brenin George V ar 6 Mai 1935.
The bonfire built on Buckley Common and lit to commemorate the Silver Jubilee of King George V on 6 May 1935.

Enghreifftiau o'r botel 'pop alley'. Bu gwaith dŵr awyrog Gregory yn gwerthu eu cynnyrch yn y poteli hyn ar un adeg. Sefydlwyd y gwaith ar y brif ffordd i Gaer ym 1888 ac fe'i rhedwyd gan amryw aelodau o deulu Gregory a Kenyon. Dyfeisiwyd y math hwn o botel tua 1870 – mae'r 'alley' yn cyfeirio at y farblen yng ngheg y botel – ac yr oedd yn parhau i gael ei defnyddio yn ystod y ganrif hon. Arferai cwmni Gregory ddosbarthu ei ddŵr mwynol ar hyd a lled yr ardal ac felly mae'n bosib y bydd llawer o bobl leol yn cofio'r poteli hyn; erbyn hyn maent yn eitemau i'w casglu. Dymchwelwyd ffatri Gregory ym 1962. Gorsaf betrol sydd ar y safle heddiw.

Examples of the 'pop alley' bottle in which Gregory's Aerated Waterworks of Buckley at one time sold their product. The works was established on the main Chester Road in 1888 and was run by various members of the Gregory and Kenyon families. This type of bottle – the 'alley' refers to the marble stopper – was invented c. 1870 and remained in use well into this century. Gregory's used to deliver their mineral waters throughout the district so many local people can probably remember these bottles, but they have now become collectors' items. Gregory's factory was demolished in 1962 and the site is now occupied by a petrol-filling station.

Siop De Hunters, Lane End, tua 1930. Fel y gellir gweld o'r nwyddau yn y ffenest, roedd y siop hon yn gwerthu amrywiaeth eang o fwyd a nwyddau ar gyfer y tŷ yn ogystal â the arbenigol. Ar yr hysbyseb ar y chwith i'r drws y mae'r geiriau 'our tea is specially blended to suit the local water'. 2/2 oedd pris pwys (454gm) o de. Yn ddiweddarach, daeth siop trin gwallt Albert Lewis i'r safle hwn.
Hunters Tea Stores at Lane End, c. 1930. As can be seen from the window display this shop also sold a wide range of other provisions and household goods, as well as its speciality tea. The advertisement to the left of the doorway reads 'our tea is specially blended to suit the local water'. The price of 2/2 would be per 1lb (454g). The site of this shop later became Albert Lewis' hairdressing salon.

Yr adeiladau a oedd yn gartref i Go-op Bwcle yn nghanol y dref ar un adeg, tua 1960.
The premises once occupied by the Buckley Co-op in the town centre, c. 1960.

Yr hen Grandstand Inn yn Burntwood, tua 1960. Codwyd yr adeilad presennol yn ei le ym 1966.
The old Grandstand Inn at Burntwood, c. 1960. This was replaced by the present building in 1966.

Arddangosfa o 'fygiau Bwcle' a wnaed gan Grochenwaith I.W. Powell, Eulô.
A display of 'Buckley mugs' made at I.W. Powell's Ewloe Potteries.

42

Rhan Pedwar/Section Four
Prestatyn

Y Stryd Fawr Uchaf tua 1900. Roedd yr adeilad ar dde'r llun, lle y gwelir yr arysgrifiad 'AD1897 Constitutional Club' ar y pediment canol ac sydd dal mewn bodolaeth, yn gartref hefyd i Lyfrgell Prestatyn o'r 1930au hyd nes yr agorwyd y llyfrgell bresennol ym 1967. Tynnwyd y bythynnod to gwellt i lawr flynyddoedd yn ôl i wneud lle ar gyfer mwy o siopau. Sylwch ar y draen agored sy'n rhedeg o'u blaen gyda charreg yn 'bont' wrth ymyl pob giât.

Upper High Street, c. 1900. The building on the right of the picture which bears the inscription 'AD1897 Constitutional Club' in the central pediment and is still in existence was also the home of Prestatyn Library from the 1930s until the present library was opened in 1967. The thatched cottages were pulled down to make way for more shops many years ago. Note the open drain running in front of them with stone slab 'bridges' at each gateway.

Fforddlas, tua 1890. Mae'r darlun cynnar hwn o ran isaf y ffordd a oedd yn arwain i fyny'r bryn, cyn codi unrhyw adeiladau ar y chwith, yn gyfle i ailfyw awyrgylch pentref gwledig tawel y llwyddodd rhan uchaf y dref i'w gadw am beth amser ar ôl iddi ddatblygu'n gyrchfan boblogaidd ar gyfer ymwelwyr.

Fforddlas, c. 1890. This early view of the lower part of the road leading up to the hillside was taken before any building had been done on the left. It helps to recapture the quiet and rural village atmosphere which much of the upper part of the town retained long after it had become a popular resort for visitors.

Edrych i lawr ar orsaf Prestatyn a'r Stryd Fawr Isaf fel yr oedd cyn 1897. Y flwyddyn honno, gosodwyd y bont drafnidiaeth a'r bont droed bresennol yn lle'r groesfan rheilffordd ac estynnwyd yr orsaf a'i symud ychydig i'r gorllewin. Roedd y rhes o goed poplys uchel ar y dde yn nodi ffin Fferm Penisardre, hen blasty a ddymchwelwyd ym 1964 er mwyn gwneud lle i'r ganolfan siopa bresennol.

A bird's eye view of Prestatyn station and lower High Street as it appeared prior to 1897. In that year the level crossing shown here was replaced by the present foot and road bridges and the station itself was enlarged and moved slightly to the west. The row of tall poplar trees on the right marked the boundary of Penisardre Farm, an old manor house which was demolished in 1964 to make way for the present shopping precinct.

Gyferbyn: Railway Terrace, tua 1895. Roedd y bythynnod hyn ar ochr ogleddol yr orsaf (a welir ar y chwith eithaf) ac fe'u dymchwelwyd pan addaswyd yr orsaf a phan adeiladwyd y bont drafnidiaeth a gwesty'r Victoria ym 1897.

Opposite: Railway Terrace, c. 1895. These cottages were on the north side of the station (seen on the extreme left) and were demolished when the station was altered and the road bridge and Victoria Hotel were built in 1897.

Y Stryd Fawr, yn edrych i fyny tua'r bryn, tua 1895. Capel Bethel yw'r adeilad ar y dde eithaf; fe'i codwyd ym 1883. Mae nifer y siopau yn y rhan hon o'r stryd yn gymharol fychan o hyd.
The High Street, looking up towards the hillside, c. 1895. The building on the extreme right is Bethel Chapel, built in 1883, and the number of shops in this part of the street is still relatively small.

Rhan o orymdaith i lawr y Stryd Fawr (capel Rehoboth ar y chwith) i ddathlu dychweliad milwyr lleol o'r Rhyfel yn erbyn y Boeriaid ym 1902. Ar y faner mae'r geiriau 'Peace with Honour – God Save the King – Back from the War'.
Part of a procession down the High Street (Rehoboth chapel on the left) to celebrate the return of local soldiers from the Boer War in 1902. The banner reads 'Peace with Honour – God Save the King – Back from the War'.

Gosod carreg sylfaen ale'r de, eglwys y plwyf, Prestatyn, Dydd Dyrchafael, 1905. Roedd Prestatyn wedi bod yn rhan o blwyf Meliden tan 1860, ond y flwyddyn honno, fe'i crewyd yn blwyf ei hun a dechreuwyd ar y gwaith o adeiladu eglwys newydd. Fe'i hagorwyd ym 1862 ond wrth i'r boblogaeth gynyddu'n gyflym, aeth yn rhy fach ac ychwanegwyd ystlys ddeheuol newydd. Ychwanegwyd estyniad bach arall ym 1926, ac ym 1967 adeiladwyd eglwys newydd sbon ychwanegol yn Victoria Road West i ddiwallu anghenion y rhai a oedd yn byw yng ngogledd-orllewin y plwyf.

Laying the foundation stone of the south aisle of Prestatyn parish church, Ascension Day 1905. Until 1860, Prestatyn had been a part of Meliden parish, but in that year it was created a parish in its own right and a start was made on building a new church, which opened in 1862. However, as the population grew rapidly, this soon became too small. A new south aisle was therefore added. A further small extension was also made in 1926 and in 1967 an entirely new additional church was built in Victoria Road West to cater for the needs of those living in the north-west of the parish.

Adeiladau hen Neuadd y Dref yn y Stryd Fawr Isaf, tua 1905. Cwblhawyd yr adeiladau hyn ym 1900 ond roedd Mr J.R. Saronie yn eu defnyddio ar gyfer dangos ffilmiau mor gynnar â 1910. Ym 1913 cymerodd rai ohonynt yn barhaol ar gyfer ei sinema Scala, sydd wedi aros yno ers hynny.

The old Town Hall buildings in lower High Street, c. 1905. These buildings were completed in 1900 but were already being used by Mr J.R. Saronie for showing films as early as 1910. In 1913 he took part of them over permanently for his Scala cinema which has remained on the site ever since (see also p. 51).

Rhan o'r traeth adeg y llanw, tua 1905. Cafodd rhywun ei foddi mewn damwain ofnadwy ger y Traeth Canol ym 1902 ac arweiniodd hyn at benderfyniad y cyngor i ddarparu cwch achub bach, a welir yma. Yn ogystal, gwelir y cwnstabl lleol, a oedd yno i sicrhau bod pawb yn ymddwyn yn briodol a'u bod yn newid yn y cabanau newid (ar y chwith).

Part of the beach at high tide, c. 1905. There had been a tragic drowning accident near Central Beach in 1902 which led the local council to provide a small rescue boat, shown here. The local constable was also on the scene to make sure everyone behaved themselves and used the bathing huts (on the left of the picture) for changing.

Y twyni tywod ar y Traeth Canol, tua 1910. Roedd y twyni hyn yn nodwedd ar hyd glannau Prestatyn ac yn hafan oddi wrth awelon cyson y môr. Codwyd ffens ystyllod (fel y gwelir yn y blaendir) i geisio sefydlogi'r tywod a oedd yn symud. Adeiladwyd y Royal Lido (sef Canolfan Nova heddiw) ar y safle hwn ym 1960.

The sand dunes at Central Beach, c. 1910. These dunes were a feature of the whole length of the Prestatyn shore-line and provided very welcome shelter from the prevailing sea breezes. Wooden paling fences (as seen in the foreground) were erected to try to stabilise the shifting sand. The Royal Lido (now the Nova Centre) was built on this site in 1960.

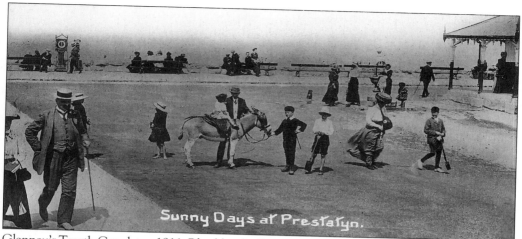

Sunny Days at Prestatyn.

Glannau'r Traeth Canol, tua 1911. Rhoddwyd y ffownten yfed, lle y gwelir nifer o bobl yn sefyll o'i chwmpas (ar y dde), i'r dref ym 1899 er cof am Henry Davis Pochin. Ef sefydlodd Gerddi Bodnant yng Ngwynedd, ond yn ogystal, ef oedd un o brif gymwynaswyr Prestatyn yn ail hanner y 19eg ganrif pan oedd yn berchen ystad y Nant a glan y traeth. Bu'n gyfrifol am ddarparu cyflenwad dŵr a nwy cyhoeddus ar gyfer y dref. Gosodwyd y peiriant pwyso sydd ar y chwith ym 1907.

The front at Central Beach, c. 1911. The drinking fountain around which several people can be seen standing, on the right of the picture, was given to the town in 1899 in memory of Henry Davis Pochin. He was the founder of Bodnant Garden in Gwynedd, and also one of Prestatyn's chief benefactors in the latter part of the nineteenth century when he owned both the Nant estate and the foreshore. He was responsible for providing the town with both its public water and gas supply. The weighing machine on the left of the picture was installed in 1907.

Ffordd Bastion, yn edrych tua'r Traeth Canol yn y 1930au. Er bod nifer y ceir erbyn hyn yn cynyddu'n gyflym, gwelir yn y llun ddau o'r ceirt governess y gellid eu hurio rhwng yr orsaf a'r traeth o ddechrau'r ganrif ymlaen.

Bastion Road looking towards Central Beach in the 1930s. Although motor traffic was by this time increasing rapidly, two of the horse-drawn governess carts which had been plying for hire between the station and the beach since the beginning of the century are still in evidence in this picture.

Siop J. Owen a'i feibion, cigyddion, yn yr Adeiladau Canolog, y Stryd Fawr, tua 1912.
The shop of J. Owen & Sons, butchers, in Central Buildings, High Street, c. 1912.

Un o siarabangs 'White Rose' y Brodyr Brookes y tu allan i Westy Nant Hall, gyda pharti'n mynd ar wibdaith, tua 1915.
One of the 'White Rose' charabancs operated by Brookes Bros, with a touring party outside the Nant Hall Hotel, c. 1915.

Mr James Roberts Saronie a'i wraig, tua 1915.
Roedd Mr Saronie (1872-1967) yn arloeswr yn y
diwydiant sinema yng Ngogledd Cymru ac ym
1913, ar ôl dangos ffilmiau mewn adeiladau dros
dro yn ystod y pedair blynedd ar ddeg blaenorol,
cymerodd ran sylweddol o adeiladau Neuadd y Dref
a'i newid yn sinema gyntaf Prestatyn, a'r un a
oroesodd hwyaf, sef y Scala. Roedd yn byw mewn
tŷ amlwg yn Ffordd Mount Ida a hyd yn oed pan
oedd yn hen ddyn, ar ôl iddo werthu'r Scala i'r
cyngor lleol ym 1963, fe'i gwelid yn y sinema yn
aml, yn gwneud yn siwr bod popeth fel y dylai fod a
bod y cwsmeriaid yn ymddwyn yn briodol!

Mr James Roberts Saronie and his wife, c. 1915.
Mr Saronie (1872-1967) was a pioneer of the cinema
industry in North Wales and in 1913, after showing
films in temporary premises for the previous fourteen
years, he took over a large part of the Town Hall
buildings and converted them into Prestatyn's first and
longest-surviving cinema, the Scala. He lived in a
distinctive house in Mount Ida Road and, even as an
old man, after he had sold the Scala to the local council
in 1963, he was frequently to be seen at the cinema
making sure everything was as it should be and that the
clientele behaved themselves! (See also p. 47).

Gorymdaith Gŵyl Fai yn Sgwâr Pendre, 1921. Mae'r ddau gerbyd a dynnir gan geffylau o Ffordd
Gronant i mewn i'r Stryd Fawr yn cario aelodau o'r frigâd dân leol. Roedd adeiladau fferm yr
hen Pendre (neu Pentre) y tu ôl iddynt, ac a roddodd yr enw i'r Sgwâr, wedi dod i feddiant Frank
Jewell, yr arwerthwr a'r gwerthwr tai, ym 1902. Roedd yn parhau i fyw yno yn y 1930au cynnar,
ond rywbryd ar ôl y dyddiad hwnnw, fe'u dymchwelwyd a phlannwyd Gerddi Pendre ar y safle.
The May Day procession in Pendre Square, 1921. The two horse-drawn vehicles turning from
Gronant Road into the High Street are carrying members of the local fire brigade. The old Pendre (or
Pentre) farm buildings behind them, which gave the Square its name, had been taken over by Frank
Jewell, auctioneer and estate agent in 1902. He still occupied them in the early 1930s but at some time
after that date they were demolished and Pendre Gardens were planted on the site.

Cwmni 1af Geidiau Prestatyn, Ebrill 1922. Cofrestrwyd y cwmni gyntaf ym 1917, un o'r rhai cynharaf i gael ei sefydlu yn y sir.
The 1st Prestatyn Girl Guide Company, April 1922. The company was first registered in 1917 and was one of the earliest to be formed in the county.

Aelodau o'r Cyngor Dosbarth Trefol yn y flwyddyn 1922-3. Yn ystod 1996 dathlodd hen Gyngor Dosbarth Trefol Prestatyn ei ganmlwyddiant ac er iddo beidio â bod yn swyddogol pan ad-drefnwyd llywodraeth leol ym 1974, mae'r Cyngor Tref presennol yn parhau'n falch o'i draddodiadau a'i record o ddatblygu'r dref ar adeg o dyfiant a newid cyflym.
Members of the Urban District Council for the year 1922-3. In 1996 the old Prestatyn Urban District Council celebrated its centenary and although it officially ceased to exist when local government was reorganized in 1974, the present Town Council is still proud of its traditions and its record of developing the town at a time of very rapid growth and change.

Gyferbyn: Seremoni agoriadol swyddogol Pencadlys Geidiau 1af Prestatyn, 16 Mehefin 1934. Roedd yr adeilad hwn mewn cae ger Fforddlas, y tu ôl i dafarn y 'Cross Foxes' ac fe'i defnyddiwyd tan y 1960au cynnar pryd yr oedd angen y safle ar gyfer codi tai. Yn sefyll yng nghanol y llun, o'r chwith i'r dde, y mae Miss Leech, y Comisiynydd Rhanbarthol, Mrs F.A. Bates o Gastell Gyrn, a agorodd y Pencadlys, a Mrs Lloyd-Hughes, gwraig clerc tref Prestatyn.
Opposite: The official opening ceremony of Prestatyn's first Girl Guide Headquarters on 16 June 1934. This building was situated in a field just off Fforddlas behind the Cross Foxes public house and remained in use until the early 1960s when the site was required for housing development. Those shown standing in the centre of the picture are from left to right, Miss Leech, District Commissioner; Mrs F.A. Bates of Gyrn Castle, who had performed the opening ceremony; and Mrs Lloyd-Hughes, wife of Prestatyn's town clerk.

Adeiladau'r White Rose yn Sgwâr Bromley, tua 1930. Codwyd yr adeiladau hyn ar gyfer y Brodyr Brookes, a oedd yn rhedes siarabangs a bysys y 'White Rose'. Roedd ganddynt adeiladau eraill yn y dref eisoes, ond mae'n amlwg eu bod yn ystyried hwn yn safle gwych gan ei fod wrth ymyl y ffordd newydd ar hyd yr arfordir o Gronant i'r Rhyl, a agorwyd ym 1923. Defnyddiwyd yr adeiladau fel garej tan ar ôl yr Ail Ryfel Byd ond fe'u haddaswyd yn uned ar gyfer uned o'r Fyddin Diriogaethol yn ddiweddarach.

The White Rose buildings in Bromley Square, c. 1930. These buildings were erected in 1925 for Brookes Bros, who ran the 'White Rose' charabancs and buses. They already had other premises in the town, but obviously regarded this as a prime site as it lay directly adjacent to the new coast road from Gronant to Rhyl which had been opened in 1923. The buildings continued to be operated as a garage until after the Second World War, but were later converted into headquarters for the local Territorial Army unit.

Siopau a thrafnidiaeth yn y Stryd Fawr Uchaf yn y 1930au.
Shops and traffic in upper High Street in the 1930s.

Y ffordd sy'n dynesu at Draeth Ffrith, 1937. Dim ond ychydig o flynyddoedd cyn hyn y daeth y tir i feddiant y cyngor lleol; datblygodd y cyngor Draeth Ffrith yn fan agored ac yn gyfleuster hamdden a'i agor yn swyddogol ym 1935.

The approach to the Ffrith Beach, 1937. The local council had only acquired this area of land a few years previously and the Ffrith Beach which they developed as an open space and leisure amenity was officially opened in 1935.

Gwyliau haf ar Draeth Ffrith, Awst 1947.
Summer holidays at the Ffrith Beach, August 1947.

Grŵp o gyn-aelodau'r lluoedd arfog yn mwynhau ymweliad â Gwersyll Gwyliau Prestatyn drwy garedigrwydd cangen leol o Wasanaeth Gwirfoddol y Merched, 25 Medi 1946.

A group of ex-service personnel enjoying a visit to Prestatyn Holiday Camp courtesy of the local Women's Voluntary Service branch, 25 September 1946.

Neges ewyllys da Geidiau Cymru i'r Swistir yn cael ei throsglwyddo gan Geidiau'r Rhyl (ar y merlod) i Geidiau Prestatyn (yn y drol) ar 13 Mehefin 1950. Roedd y neges hon yn cael ei throsglwyddo i Gynhadledd y Byd yn Rhydychen; dangosir y trosglwyddo'n digwydd yn y man cyfleus agosaf at y ffin rhwng Rhyl a Phrestatyn, sef prif faes parcio ger traeth Ffrith heddiw.

The Welsh Guides' goodwill message to Switzerland being passed on from Rhyl Guides (on ponies) to Prestatyn Guides (in the pony cart) on 13 June 1950. This message was being conveyed on its way to the World Conference in Oxford and the hand-over is shown taking place in the nearest convenient spot to the boundary between Rhyl and Prestatyn, namely what is now the main car park at the Ffrith beach.

Rhan Pump/Section Five
Y Rhyl
Rhyl

Pier Y Rhyl yn edrych yn ôl tuag at Rodfa'r Dwyrain yn fuan ar ôl ei gwblhau ym 1867. Mae'r gwesty sy'n wynebu'r fynedfa i'r pier wedi cadw'r enw gwreiddiol, 'Belvoir', er y daethpwyd i'w adnabod fel Gwesty'r 'Pier' yn ddiweddarach. Bu llawer o ddamweiniau'n gysylltiedig â'r pier ei hun a bu'n rhaid ei atgyweirio'n sylweddol dros y blynyddoedd. Dymchwelwyd y gweddillion ym 1973.

Rhyl Pier looking back towards East Parade soon after it was completed in 1867. The hotel facing the pier entrance still bears its original name of 'Belvoir', although it was later known as the Pier Hotel. The pier itself suffered several accidents necessitating extensive repairs over the years. The remains of it were finally demolished in 1973.

Bad achub Y Rhyl, y *Jane Martin* a'i griw, tua 1890. Lleolwyd y cwch ysgafn hwn, a allai ei unioni ei hun, yn ail orsaf bad achub Y Rhyl o 1888 tan 1899. Cymerodd ran mewn nifer o deithiau achub, gan ei bod yn haws ei lansio na'r bad cyntaf, a oedd wedi ei adeiladu ar gynllun tiwbaidd.

The Rhyl lifeboat the Jane Martin *and her crew, c. 1890. This lightweight self-righting vessel was based at Rhyl's second lifeboat station from 1888 until 1899. She took part in several rescues, being easier to launch than the No 1 boat which was of tubular construction.*

Cynrychiolwyr swyddogol a gwylwyr ar achlysur 'agoriad' swyddogol y ffownten a arferai sefyll ar y promenâd o flaen y Pafiliwn, 5 Medi 1892. Perfformiwyd y seremoni agoriadol gan Arglwydd Faer Llundain, y Gwir Anrhydeddus Syr David Evans, ond ymhlith y bobl bwysig a oedd yn bresennol yr oedd Esgob Llanelwy, A.G. Edwards, Archesgob cyntaf Cymru yn ddiweddarach, Mr John Herbert Lewis, AS, Cadeirydd Cyngor Sir y Fflint, J.L. Muspratt, Maer y Fflint a'r Arglwydd Mostyn. Roedd yr achlysur yn dathlu cwblhau cynllun eang o welliannau ar hyd y promenâd yn ogystal.

Dignitaries and spectators on the occasion of the official 'opening' of the fountain which used to stand on the promenade in front of the Pavilion, 5 September 1892. The opening ceremony was performed by the Lord Mayor of London Rt. Hon. Sir David Evans but among local VIPs present were the Bishop of St Asaph, A.G. Edwards, who later became the first Archbishop of Wales; Mr John Herbert Lewis MP, Chairman of Flintshire County Council; J.L. Muspratt, the Mayor of Flint; and Lord Mostyn. The occasion also marked the completion of an extensive scheme of improvements along the whole length of the promenade.

Tywysog a Thywysoges Cymru yn Ysbyty'r Plant, 13 Gorffennaf 1894. Roedd ysbyty plant a chartref gwella wedi ei sefydlu yn Y Rhyl ym 1872, ond gymaint oedd y galw, ac er gwaethaf nifer o estyniadau ato, penderfynwyd erbyn 1894 bod angen ysbyty cwbl newydd. Gwahoddwyd y Dywysoges Alexandra i fod yn noddwraig arno a daeth i'r Rhyl i osod carreg sylfaen yr adeilad newydd a enwyd ar ei hôl.

The Prince and Princess of Wales at the Children's Hospital, 13 July 1894. A children's hospital and convalescent home had been established at Rhyl in 1872, but such was the demand that, despite several additions to it, by 1894 it had been decided that a completely new hospital was needed. Princess Alexandra had been invited to become its patron and she came to Rhyl on this occasion to lay the foundation stone of the new building which was named after her.

Fflôt yng ngorymdaith Gŵyl Fai 1897 a oedd yn casglu arian i ddarparu gwely plentyn yn rhad ac am ddim yn ysbyty'r plant i ddathlu Jiwbilî Diemwnt y Frenhines Victoria. Dangosir y gwely plentyn gyda rhai o'r nyrsys o'i gwmpas, ac mae'r cludwyr stretsieri yn gwisgo bandiau'r Groes Goch ar eu breichiau.

A float in the 1897 May Day procession which was collecting funds to provide a free cot at the children's hospital to mark Queen Victoria's Diamond Jubilee. The cot is displayed on the float surrounded by some of the nurses from the hospital, while the stretcher bearers and collectors are wearing Red Cross armbands.

Plymenni rhew yng nghornel gogledd-orllewin y Foryd yn ystod gaeaf caled 1894-5.
Ice floes at the north-west corner of the Foryd in the severe winter of 1894-5.

Golygfa o'r Stryd Fawr ddiwedd y ganrif ddiwethaf. Erbyn heddiw mynedfa i'r orsaf fysys sydd ar safle Gwesty'r Llew Gwyn. Drws nesaf iddo yr oedd adeilad gwreiddiol Neuadd y Dref; symudodd y Neuadd i Ffordd Wellington ym 1855.

A view of the High Street at the end of the last century. The site of the White Lion Hotel is now occupied by the entrance to the bus station. The building next to it was the original Town Hall replaced by that in Wellington Road in 1855.

Y swyddfa fwcio ar gyfer gwibdeithiau yng ngherbydau ceffyl F. & J. Heathcote's y tu allan i Westy'r 'Royal' yn y Stryd Fawr, tua 1900. Yn ddiweddarach, cymerodd sinema'r 'Plaza' le'r gwesty ar y safle hwn.

The booking office for F. & J. Heathcote's horse-drawn coach trips outside the Royal Hotel in High Street, c. 1900. The Plaza cinema later occupied the site of this hotel.

'Famous Merrie Men' E.H. Williams yn diddanu tyrfa ar lan y môr, tua 1904. Cymerodd y trŵp hwn feddiant ar lain parhaol y minstreliaid gyferbyn â Gwesty'r Queen ym 1899. Yn eu plith yr oedd nifer o offerynwyr ac ymhyfrydent mai hwy oedd y trŵp glan-y-môr mwyaf yn y byd. Fe'u dilynwyd gan y 'Jovial Jesters' ym 1907.

E.H. Williams' 'Famous Merrie Men' entertaining a crowd on the front, c. 1904. This troupe took over the permanent minstrels' pitch opposite the Queen's Hotel in 1899. They included a number of instrumentalists and boasted of being the largest seaside troupe in the world. They were succeeded in 1907 by the 'Jovial Jesters'.

Y Stryd Fawr, yn edrych i gyfeiriad y promenâd, tua 1905.
High Street looking towards the promenade, c. 1905.

Pwyllgor Gŵyl Fai Y Rhyl, 1907. Roedd dathlu'r Wyl gyda gorymdeithiau, chwaraeon a choroni Brenhines Fai yn draddodiad a oedd wedi ei sefydlu er 1890 o leiaf.

Rhyl May Day Committee, 1907. The celebration of May Day with processions, sports and the crowning of a May Queen was already a well-established tradition in Rhyl, going back at least as far as 1890.

Harbwr y Foryd, tua 1910. Ar ochr chwith eithaf y llun gellir gweld pobl sydd ar fin mynd ar y cwch fferi bach a oedd yn dal i groesi'r afon; ar y lanfa ar yr ochr arall, mae un cwch yn dadlwytho yn iard goed Charles Jones, gydag un arall yn aros ei dro. Sefydlwyd yr iard hon ym 1870 a gwerthai ddrysau, fframiau ffenestri a deunyddiau pren eraill i adeiladwyr ledled y wlad.
The Foryd harbour, c. 1910. On the extreme left of the picture, people can be seen about to board the small ferry boat which still operated across the river, whilst at the wharf on the opposite side one vessel is unloading a cargo at Charles Jones' timber yard and another is waiting its turn. This yard was established in 1870 and supplied doors, window-frames and other joinery to builders all over the country.

Swyddfa'r Post a siop ddillad Talbot yn y Stryd Fawr, 1913. Symudodd y siop ddillad yn ddiweddarach i'r gornel gyferbyn, ar ochr arall y Stryd Fawr.
The post office and Talbot's drapery shop in High Street, 1913. The latter subsequently moved to the corner opposite, on the other side of High Street.

Brigâd o filwyr y Catrawd Cymreig (bataliwn Abertawe, Caerfyrddin a'r Rhondda) ar bromenâd Y Rhyl yn cael eu harolygu gan y Cadfridog Mackinnon, Prif Swyddog Adran y Gorllewin, a David Lloyd George, a oedd ar y pryd yn Weinidog Arfau, 1915. Yr oedd y dynion hyn oll yn wirfoddolwyr a oedd wedi listio'n fuan ar ôl cyhoeddi'r rhyfel ym mis Awst 1914; fe'u hanfonwyd i'r Rhyl i'w hyfforddi. Tynnwyd y llun gan Glyn S. Hughes o ffenestr y Charlton Boarding House.

A brigade of soldiers from the Welsh Regiment (Swansea, Carmarthen and Rhondda battalions) drawn up on Rhyl promenade for a review by General Mackinnon, Commanding Officer of the Western Division and David Lloyd George, then Minister of Munitions, 1915. All these men were volunteers who had enlisted soon after war was declared in August 1914 and they had been sent to Rhyl for their training. The photograph was taken by Glyn S. Hughes from the window of the Charlton Boarding House.

Rhes o siarabangs teithiol yn mynd ar hyd Rhodfa'r Dwyrain tua 1921. Yn ogystal, y tu hwnt i'r
A procession of touring charabancs passing along East Parade, c. 1921. Two open-topped double-deck

Opening of the new road. Sep 21ᵗ 1923

Y bws cyntaf i gael ei yrru ar hyd ffordd newydd yr arfordir o Brestatyn i'r Rhyl ar 21 Medi 1923.
Cyn adeiladu'r ffordd hon roedd twyni tywod yn rhwystro cerbydau olwynion rhag teithio
rhwng y ddwy dref ar hyd yr arfordir. Yn hytrach, roedd rhaid iddynt deithio trwy Feliden a
lonydd cul a throellog yr hen ffordd i'r Rhyl o'r de.

The arrival of the first bus to be driven along the new coast road from Prestatyn to Rhyl on 21
September 1923. Prior to the construction of this road, sandhills prevented the passage of wheeled
traffic between the two resorts along the coast. Instead they had to travel via Meliden and the narrow
winding lanes of the old inland route which entered Rhyl from the south.

ail a'r trydydd siarabang, gellir gweld dau fws deulawr agored a ddefnyddid ar gyfer teithiau lleol.
buses, which were used for local journeys, can also be seen beyond the second and third charabancs.

Garej White Rose y Brodyr Brookes yn Ffordd y Gilgant, tua 1926. Gwerthodd y Brodyr Brookes eu busnes bysys i Crosville ym 1930.
Brookes Bros' White Rose Motors garage in Crescent Road, c. 1926. Brookes Bros' sold their White Rose bus operations to Crosville in 1930.

Y gynulleidfa mewn perfformiad o 'Churchills Jolly Boys' yn theatr newydd y 'Coliseum' yn y 1920au. Ym 1921, rhoddwyd concrid ar hen lain y minstreliaid a chodwyd y 'Coliseum' yn ei le ychydig ymhellach ar hyd y promenâd. Roedd yn theatr awyr agored tan 1960, pryd y gosodwyd to arno.

The audience at a performance of 'Churchills Jolly Boys' at the new Coliseum theatre in the 1920s. In 1921 the old minstrels' pitch had been concreted over and the Coliseum built in its place further along the promenade. It remained an open-air theatre until 1960 when it was roofed over.

Caffi'r 'Savoy' ac adeiladau eraill yn Rhodfa'r Gorllewin a Stryd y Frenhines, wedi eu haddurno ar gyfer rhyw ddathliad yng nghanol y 1930au.

The Savoy Café and other premises in West Parade and Queen Street decorated for some festive occasion in the mid-1930s.

Rhan Chwech/Section Six

Llanelwy
St Asaph

Tyrfaoedd yn yr Eglwys Gadeiriol i ddathlu Jiwbilî Arian y Frenhines Victoria ym 1887.
Crowds at the Cathedral for celebrations to mark Queen Victoria's Golden Jubilee in 1887.

Golygfa o Dŵr yr Eglwys Gadeiriol, tua 1900.

A view from the Cathedral Tower, c. 1900.

Siop Tomkinson yn Stryd Caer, Rhagfyr 1905. Er bod tu blaen y siop yn ei disgrifio fel siop trin gwallt a siop gwerthu tybaco, mae'n ymddangos bod y nwyddau yn y ffenest yn cynnwys amrywiaeth o bethau eraill yn ogystal â phapurau newydd a chardiau post. Llwyddwyd i ddyddio'r ffotograff yn gywir o ganlyniad i'r penawdau yn y papurau.

Tomkinson's shop in Chester Street, December 1905. Although the shop-front describes this as a hairdresser's and tobacconist's, the window display seems to include a variety of other goods as well as advertising newspapers and postcards. It was the headlines on display which enabled the photograph to be dated so accurately.

Edrych i fyny'r Stryd Fawr, tua 1905. Gwesty'r Kinmel Arms oedd yr adeilad ar y chwith lle mae'r polyn fflag. Uwchben y drws y mae arwydd gyda'r geiriau 'James Sandoe – late Bryndinas Hotel'. Roedd y gwesty hwnnw yn Stryd Caer. Gellir gweld siop groser E.B. Jones yn glir.

Looking up the High Street, c. 1905. The building on the left with the flagpole was the Kinmel Arms Hotel. Over the door there is a sign reading 'James Sandoe – late Bryndinas Hotel'. The latter was in Chester Street. E.B. Jones' grocers can also be clearly seen.

Gorymdaith Diwrnod yr Ymherodraeth yn Llanelwy, 1914. Cynhaliwyd Dydd yr Ymherodraeth yng Nghanada ym 1897 am y tro cyntaf er mwyn hyrwyddo astudiaeth o'r Ymherodraeth Brydeinig ymhlith plant ysgol. O 1904 ymlaen daeth yn ddigwyddiad blynyddol ledled yr ymherodraeth, a'i gynnal ar 24 Mai, pen-blwydd y Frenhines Victoria. Rhoddwyd cryn bwyslais ar ddangos baner yr Undeb fel canolbwynt ar gyfer hunaniaeth yr Ymherodraeth, fel y gellir gweld yma. Fe'i disodlwyd gan Ddydd y Gymanwlad ym 1957.

The Empire Day parade at St Asaph, 1914. Empire Day was first held in Canada in 1897 to promote the study of the British Empire among schoolchildren. From 1904 it became an annual Empire-wide event, being held on 24 May, Queen Victoria's birthday. Great emphasis was given, as can be seen here, to the displaying of the Union flag as a focus for the Empire's identity. It was superseded by Commonwealth Day in 1957.

Archesgob cyntaf Cymru, A.G. Edwards, cyn-esgob Llanelwy, yn gorymdeithio heibio i'r Eglwys Gadeiriol ddiwrnod ei orseddu, 1 Mehefin 1920.

The first Archbishop of Wales, A.G. Edwards, previously Bishop of St Asaph, processing past the Cathedral on the day of his enthronement, 1 June 1920.

Y Fonesig Olave Baden-Powell, y brif-Geid, gyda Geidwragedd lleol, Geidiau ac eraill y tu allan i Dŷ'r Eglwys ar achlysur cysegru Baner Geidiau Sir y Fflint yn yr Eglwys Gadeiriol ar 30 Mai 1926. Y fanerwraig oedd y Geidwraig, Kate Addison a gwnaethpwyd y faner gan Mrs A.G. Edwards, gwraig Archesgob Cymru.

Lady Olave Baden-Powell, the Chief Guide, with local Guiders, Guides and others outside Church House on the occasion of the dedication of the Flintshire Guides County Standard at the Cathedral on 30 May 1926. The standard-bearer was Guider, Kate Addison and the standard itself had been made by Mrs A.G. Edwards, wife of the Archbishop of Wales.

Dyma'r dynion a osododd y gwydr lliw yn ffenestr orllewinol yr Eglwys Gadeiriol ym mis Awst 1939. O'r chwith i'r dde: Stan Kelly, Edwin W. Mortimer, H. Jones, Llewelyn Roberts, Edwin A. Mortimer a Walter Dunning.

The men who installed the stained glass in the west window of the Cathedral in August 1939. From left to right: Stan Kelly, Edwin W. Mortimer, H. Jones, Llewelyn Roberts, Edwin A. Mortimer and Walter Dunning.

Rhan Saith/Section Seven
Penarlâg
Hawarden

Eglwys y Plwyf, Deiniol Sant, tua 1905. Codwyd y gatiau i'r fynwent, a gynlluniwyd gan y penseiri Douglas a Minshull, ym 1877, er cof am Syr Stephen R. Glynne (1807-94), y nawfed a'r olaf o farwniaid y teulu.

St Deiniol's parish church, c. 1905. The gates to the churchyard by Douglas and Minshull, architects, were erected in 1877 as a memorial to Sir Stephen R. Glynne (1807-94) ninth and last baronet.

Glynne Way, 1890. Mae rhai o'r adeiladau a welir yma'n dal i sefyll, heb eu newid ar y cyfan, megis Brick Row (ar y chwith eithaf) a godwyd ar gyfer gweithwyr ystad Glynne yn gynnar yn y bedwaredd ganrif ar bymtheg, a Stone Row ym mhen arall Glynne Way; mae'r rhai cynharaf ohonynt yn dyddio o ganol y ddeunawfed ganrif. Mae bythynnod to gwellt gwreiddiol Stag's Head, wedi diflannu, a daeth rhai eraill yn eu lle ym 1910. Mae tafarn y Stag's Head, a gaewyd ym 1847, bellach wedi ei ail-adeiladu; yr enw arno heddiw yw Stuart House (yr adeilad lle y gwelir talcen uchel).

Glynne Way, 1890. Some of the buildings seen here still stand largely unaltered, such as Brick Row (extreme left) built for Glynne estate workers in the early nineteenth century and Stone Row at the other end of Glynne Way, the earliest part of which dates from the mid-eighteenth century. The original thatched Stag's Head cottages have gone, replaced by others in 1910. The Stag's Head inn, closed in 1847, has since been rebuilt and is now known as Stuart House (the building with the tall gable end showing).

Gyferbyn: Cyffordd Highway â Gladstone Way, tua 1910. Caeodd y Castle Inn (ar y chwith) ym 1925, ac fe'i dymchwelwyd gyda gweddill y teras; codwyd Mossley Court ar y safle yn y 1960au.
Opposite: At the junction of the Highway and Gladstone Way, c. 1910. The Castle Inn (left), closed in 1925, was later demolished together with the rest of the terrace, to be replaced by Mossley Court in the 1960s.

76

Institiwt Penarlâg a North Terrace tua 1905. Mae'r Institiwt yn dyddio o 1854, ond cafodd ei ail-adeiladu yn ddiweddarach a'i agor yn swyddogol ar 22 Mai 1893. Ar wahân am y llyfrgell a'r ystafelloedd hamdden, roedd yr institiwt yn cynnwys stordy arfau at ddefnydd 2il Fataliwn Gwirfoddolwyr y Ffiwsilwyr Cymreig.

Hawarden Institute and North Terrace, c. 1905. The Institute dates from 1854, although it was later rebuilt and formally opened on 22 May 1893. Besides a library and recreation rooms, the institute included an armoury for the use of the 2nd Volunteer Battalion of the Royal Welch Fusiliers.

Siop fferyllydd W. Jarvis, tua 1895. Agorodd William Jarvis o Gresffordd ei siop fferyllydd gyntaf ym Mhenarlâg ym mis Gorffennaf 1894. Am lawer o flynyddoedd fe'i adwaenid fel Dann & Buttlings; cymerodd R.G. Dann feddiant ar y busnes ym 1915, ac ymunwyd ag ef yn ddiweddarach gan ei fab-yng-nghyfraith, G. Buttling, ym 1949.

W. Jarvis, chemist's shop, c. 1895. William Jarvis from Gresford opened the first chemist's shop in Hawarden in July 1894. For many years it was known as Dann & Buttlings. R.G. Dann took over the business in 1915 and was joined later by his son-in-law, G. Buttling in 1949.

Yr 'Old Toffee Shop', tua 1910. Rhedai Polly Urmston (sy'n sefyll yn ei gardd) y siop daffi, sef bwthyn to gwellt yn Gladstone Way heb fod yn bell o Neuadd y Seiri Rhyddion. Roedd y bwthyn yn dal i sefyll yn y 1960au ond mae wedi cael ei ddymchwel erbyn hyn.

The 'Old Toffee Shop', c. 1910. Polly Urmston (standing in her garden) ran the toffee shop, a thatched cottage on Gladstone Way not far from the Masonic Hall. The cottage was still standing in the 1960s, but has since been demolished.

Murrells House, Glynne Way, tua 1900. Arferai James Murrells, coetsmon i Miss Mary Glynne (merch y Parch. Henry Glynne, rheithor Penarlâg, 1834-72) fyw yma ar gornel Rectory Drive a Glynne Way. Mae Banc y Midland wedi bod yma ers tua 1920.
Murrells' House, Glynne Way, c. 1900. James Murrells, coachman to Miss Mary Glynne (daughter of Revd Henry Glynne, rector of Hawarden, 1834-72) lived here at the corner of Rectory Drive and Glynne Way. The Midland Bank has occupied the site since c. 1920.

Hen Dolldy ger Tinkersdale, tua 1905. Fe'i codwyd tua 1834 pryd yr adeiladwyd ffordd dyrpeg Abermorddu-King's Ferry; daeth ei ddefnydd fel tolldy i ben yn y 1870au pryd y sefydlwyd Byrddau'r Priffyrdd yn yr ardal hon. Fe'i dymchwelwyd ym 1933.
Old Tollhouse, near Tinkersdale, c. 1905. Built about 1834 when the Abermorddu-King's Ferry turnpike road was constructed, its use as a tollhouse ended by the 1870s when Highway Boards were established in this area. It was demolished in 1933.

Tŷ'r Ysgolfeistr, tua 1900. Mae George Spencer, meistr Ysgol (Genedlaethol) y Bechgyn, 1868-92, yn sefyll y tu allan i'w dŷ ger yr ysgol. Ymddengys fod y tŷ wedi ei godi tua deugain mlynedd ar ôl yr ysgol (a godwyd ym 1834). Mae'n dŷ preifat heddiw.

Schoolmaster's house, c. 1900. George Spencer, master of Hawarden Boys' (National) School (1868-92), stands outside his house only a short distance from the school. The house seems to have been built some forty years after the school was erected in 1834. It is now a private residence.

Staff Ysgol y Sir, Penarlâg, tua 1895. Arthur Lyon (rhes flaen, ar y dde) oedd y prifathro o 1896 tan 1929. Bellach, lleolir Ysgol Uwchradd Penarlâg yn adeiladau'r hen Ysgol Sirol, a agorwyd ym 1899.

Staff of Hawarden County School, c. 1895. Arthur Lyon (front row, on the right) was headmaster from 1896 to 1929. Hawarden High School now occupies the buildings of the old County School opened in 1899.

Ysgol Canon Drew, Gladstone Way, 1970au. Wedi ei henwi ar ôl Canon Harry Drew (rheithor Penarlâg, 1905-10), agorwyd yr ysgol gynradd hon ym 1912. Fe'i codwyd i gymryd lle Ysgol y Bechgyn (a adeiladwyd ym 1834) yn bellach i fyny'r ffordd, ac Ysgol y Merched, a leolid gynt yn yr Ysgubor Ddegwm er 1875. Caewyd Ysgol Canon Drew ym 1975 pryd yr agorwyd yr ysgol bresennol yn Cross Tree Lane a dymchwelwyd yr adeiladau gwag ddeng mlynedd yn diweddarach.

Canon Drew School, Gladstone Way, 1970s. Named after Canon Harry Drew (rector of Hawarden, 1905-10), this primary school was opened in 1912. It replaced the Boys' School (built in 1834) higher up the road, and the Girls' School which had been housed in the Tithe Barn since 1875. Canon Drew was closed in 1975 when the present school in Cross Tree Lane opened, and the redundant school buildings were taken down ten years later.

Grŵp Ysgol y Babanod, tua 1906. Mrs Leach (rhes gefn, ar y dde eithaf) oedd yn gyfrifol am Ysgol y Babanod o 1894 tan 1919.

Infants School group, c. 1906. Mrs Leach (back row, far right) was in charge of the Infants School from 1894 to 1919.

Tom Bailey, tafarnwr, tua 1915. Yn landlord y Castle Inn o 1876 tan ei farwolaeth ym 1921, sefydlodd Tom Bailey gwmni o adeiladwyr ym Mhenarlâg, gyda'i feibion yn ei etifeddu. Fe'i cofir orau, o bosib, am iddo saethu'r heffer a ymosododd ar y Prif Weinidog, W.E. Gladstone ym Mharc Penarlâg, 29 Awst 1892.

Tom Bailey, innkeeper, c. 1915. Landlord of the Castle Inn from 1876 until his death in 1921, Tom Bailey also founded a firm of builders in Hawarden which his sons continued. His is perhaps best remembered for shooting the heifer which charged Prime Minister W.E. Gladstone in Hawarden Park on 29 August 1892.

Aelodau o Gwmni Gwirfoddolwyr Penarlâg a hwyliodd am Dde Affrica ar 11 Chwefror 1900. Mae cofeb, dyddiedig 1902, ym mynwent Penarlâg i'r Gwirfoddolwyr a laddwyd yn Rhyfel y Boeriaid.
Members of Hawarden Volunteer Company who sailed for South Africa on 11 February 1900. In Hawarden churchyard there is a memorial, dated 1902, to the Volunteers killed in the Boer War.

Grŵp teulu Gladstone, tua 1880. Ym 1839, priododd William Ewart Gladstone â Catherine Glynne, chwaer Syr Stephen R. Glynne o Gastell Penarlâg. Ar wahoddiad Syr Stephen, ymgartrefodd Mr a Mrs Gladstone yng Nghastell Penarlâg o'r 1850au ymalen.
Gladstone family group, c. 1880. In 1839 William Ewart Gladstone married Catherine Glynne, sister of Sir Stephen R. Glynne of Hawarden Castle. At the invitation of Sir Stephen, Mr and Mrs Gladstone made Hawarden Castle their home from the 1850s.

Anrhegu William Glynne Charles Gladstone ar achlysur ei ben-blwydd yn un ar hugain, 1906. Derbyniodd W.G.C. Gladstone (yn gwisgo siaced streipiog) yr anrheg hon oddi wrth Glwb Criced Parc Penarlâg. Lladdwyd y Sgweiar Ifanc, fel yr gelwid ef, etifedd Ystad Penarlâg, tra'n ymladd yn Laventie, Ffrainc, ym mis Ebrill 1915 yn 30 oed.
Presentation to William Glynne Charles Gladstone at his coming-of-age, 1906. W.G.C. Gladstone (in striped blazer), received this presentation from Hawarden Park Cricket Club. The Young Squire, as he was known, heir to the Hawarden Estate, was killed in action at Laventie, France in April 1915, aged 30.

Garddwest yn y Rheithordy, 1920au. Gyda'r Parch. Charles Frederick Lyttelton, rheithor Penarlâg, 1920-8 (ar y dde eithaf) a'i wraig Mrs Sibell Lyttelton, yr oedd Charles Bolton Toller o Aston Bank (ail ar y chwith) a C.V. Harris, rheolwr Banc Lloyds, Penarlâg. Yr oedd y Parch. Lyttelton a C.B. Toller yn ymddiriedolwyr Institiwt Penarlâg.

Garden party at the Rectory, 1920s. With Revd Charles Frederick Lyttelton, rector of Hawarden, 1920-28 (far right) and his wife, Mrs Sibell Lyttelton, were Charles Bolton Toller of Aston Bank (second left) and C.V. Harris, manager of Lloyd's Bank, Hawarden. Both Revd Lyttelton and C.B. Toller were trustees of Hawarden Institute.

Ymweliad y Brenin George V a'r frenhines Mary â Pharc Penarlâg ym 1917. Gwelir y Frenhines Mary yma ar ôl iddi lofnodi'r llyfr ymwelwyr. Yr oedd y daith frenhinol i ogledd Cymru'n cynnwys ymweliad â'r ffatri arfau yn Queensferry yn ogystal.

Visit of George V and Queen Mary to Hawarden Park, 1917. Queen Mary is seen here (after signing the visitors' book). The royal visit to north Wales also included the munitions factory at Queensferry.

Rhan Wyth/Section Eight
Treffynnon
Holywell

Ffynnon Gwenffrewi, tua 1900. Mae Treffynnon wedi bod yn adnabyddus ers canrifoedd am ei ffynnon iachaol ac yn gyrchfan pererindodau ers y ddeuddegfed ganrif o leiaf.
St Winefride's Well, c. 1900. Holywell has long been known for its famous healing well, which has been a place of pilgrimage from at least the twelfth century.

Neuadd y Dref a'r Stryd Fawr, tua 1910. Codwyd Neuadd y Dref (ar y chwith) ym 1893-96. R. Lloyd Williams o Ddinbych oedd y pensaer ac Abel Jones o'r Rhyl oedd yr adeiladydd. Yn wreiddiol, yr oedd ei dŵr cloc yn adeilad ar ei ben ei hun yn y Stryd Fawr, (gyferbyn â'r Cross Keys); fe'i codwyd yn 1867 i goffáu pen-blwydd Pyers William Mostyn o Dalacre yn 21 oed. Erbyn heddiw, dim ond y ffasâd sydd ar ôl; dymchwelwyd y gweddill ym 1986 er mwyn darparu safle ar gyfer canolfan siopa newydd. Mae'r Bell and Antelope (drws nesaf i Neuadd y Dref), sy'n dyddio o'r 1860au, yn y Stryd Fawr o hyd, ond mae'r Spread Eagle (ar ochr arall y stryd) wedi diflannu.

Town Hall and High Street, c. 1910. The Town Hall (left) was erected in 1893-6. The architect was R. Lloyd Williams of Denbigh and the builder, Abel Jones of Rhyl. Its clock tower, originally a separate free-standing structure in the High Street (opposite the Cross Keys), was erected in 1867 to commemorate the coming-of-age of Pyers William Mostyn of Talacre. Only the façade remains today; the rest was demolished in 1986 to provide the site for a new shopping development. The Bell and Antelope (next to the Town Hall), dating from the 1860s, is still there in the High Street, whereas the Spread Eagle (on the opposite side of the street) has gone.

Y Stryd Fawr, tua 1910. Agorodd Banc y National Provincial (ar y dde) yn y Stryd Fawr yn y 1830au. Y banciau eraill a ymsefydlodd yn y dref yn ystod y ganrif ddiwethaf oedd y North & South Wales Bank yn y Stryd Fawr a'r Savings Bank ym Maes y Dre.

High Street, c. 1910. The National Provincial Bank (right) opened in the High Street in the 1830s. The other banks established in the town in the last century were the North & South Wales Bank in the High Street and the Savings Bank at Maes-y-Dre.

Gwesty Victoria, tua 1910, tafarn sy'n dyddio o ddechrau'r bedwaredd ganrif ar bymtheg. Yr hen enw arno oedd y Kings Arms. Mae ei enw presennol yn dyddio o gyfnod ychydig ar ôl jiwbilî'r Frenhines Victoria ym 1897.

Hotel Victoria, c. 1910. An early nineteenth-century inn, it was formerly known as the Kings Arms. Its present name dates from sometime after Queen Victoria's Diamond Jubilee in 1897.

Pen ucha'r Ffordd Newydd, tua 1900. Mae gan y stondin a godwyd ar gornel Ffordd Newydd a Stryd Chwitffordd ar ddiwrnod poeth o haf gymysgedd ryfedd o nwyddau, yn eu plith fasgedi, poteli o ddŵr mwynol, a mygiau Bwcle. I'r dde, wedi ei guddio, bron, gan res o fythynnod a adwaenid fel Victoria Terrace, mae capel yr Annibynwyr Cymraeg gyda'i do talcennog. Fe'i codwyd ym 1788 ac fe'i dymchwelwyd yn gynnar yn y 1970au adeg lledu'r ffordd.

Top of New Road, c. 1900. The stall set up on a hot summer's day at the corner of New Road and Whitford Street has a curious mixture of goods including baskets, bottles of mineral water and Buckley mugs. Over to the right, almost hidden by the row of cottages called Victoria Terrace, is the hip-roofed Welsh Independent chapel, built in 1788, which was pulled down in the early 1970s during road widening.

Siop yn Hutchfield Row, tua 1900. Roedd y rhes hon o fythynnod yn Stryd Chwitffordd. *Shop in Hutchfield Row, c. 1900. This row of six cottages was in Whitford Street.*

George Scotcher, gwerthwr deunydd
ysgrifennu a phapurau newydd, tua 1905.
Gwelir George Scotcher uchod o flaen ei siop
yn Stryd y Groes. Ei rieni, Frederick Ludwig a
Catherine Scotcher, oedd perchnogion y
Bazaar yn y Stryd Fawr am nifer o
flynyddoedd; symudodd George ei fusnes i'r
Stryd Fawr yn ddiweddarach. Mae'n bosib y
cofir George Scotcher orau am ei gyfres o
gardiau post yn dangos golygfeydd lleol.
*George Scotcher, stationer and newsagent, c.
1905. George Scotcher is seen here (above) in
front of his shop in Cross Street. His parents,
Frederick Ludwig and Catherine Scotcher had the
Bazaar for many years in the High Street, and
George later moved his newsagency business to the
High Street. He is perhaps best remembered for
his series of postcards depicting local views.*

Lori stêm L & NWR yn Stryd y Ffynnon, tua 1910. Yn ystod y degawd cyn i Dreffynnon gael gorsaf reilffordd, byddai nwyddau a theithwyr yn cael eu cludo ar lori stêm rhwng y dref a gorsaf Cyffordd Treffynnon, ar y brif lein o Gaer i Gaergybi.

L & NWR steam lorry in Well Street, c. 1910. In the decade before Holywell had a railway station, goods and passengers were conveyed by steam lorry between the town and Holywell Junction station on the main Chester to Holyhead line.

Gorsaf Reilffordd Treffynnon, tua 1912. Ei hagor ym 1912, tref Treffynnon oedd yr olaf o'r leiniau lleol rhwng Caer a Chaergybi. Caeodd ym 1954.

Holywell Town station, c. 1912. Opened in 1912, Holywell Town was the last of the Chester & Holyhead branch lines. It closed in 1954.

Casglu dŵr o Ffynnon Gwenffrewi, 1890au. Roedd trigolion Treffynnon yn dal i ddod i'r Ffynnon am ddŵr i'w cartrefi ar ddechrau'r ganrif hon. Golygfa gyffredin y pryd hwnnw oedd y gwerthwr-dŵr dall, Joe Barker, yn mynd ar ei rownd gyda'i asyn a'i drol.
Collecting water from St Winefride's Well, 1890s. Residents in Holywell were still coming to the well for their domestic water in the early years of this century. A familiar sight then, was the blind water seller, Joe Barker, making his rounds with donkey and cart.

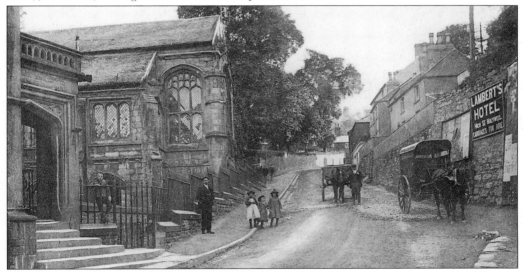

Bryn y Ffynnon, tua 1905. Gallai ymwelwyr logi cerbyd ger Gwesty Lambert yn y Stryd Fawr er mwyn ymweld â Ffynnon Gwenffrewi (fel y gwelir o'r arwydd ar y wal).
The Well Hill, c. 1905. Carriages, as the notice on the wall informs, were available for hire to visitors to the St Winefride's Well from Lambert's Hotel in the High Street.

Tloty Undeb Treffynnon, tua 1910. Ei adeiladu 1838-40 fel tloty ar gyfer Treffynnon a thri ar ddeg o blwyfi cyfagos, roedd yn parhau i gynnig cymorth i'r tlodion ddechrau'r ganrif hon. Bellach, mae'n gartref i ysbyty cymunedol Lluesty.
Holywell Union workhouse, c. 1910. Built in 1838-40 as a workhouse to serve Holywell and thirteen neighbouring parishes, it continued to dispense poor relief into the early years of this century. The building now houses Lluesty community hospital.

Gosod carreg sylfaen yr ysbyty yn Nhloty Treffynnon, 15 Awst 1913. Cynhaliwyd y seremoni o flaen Gwarchodwyr a chyfeillion, ac fe'i agorwyd gydag emyn a gyfansoddwyd gan feistr y tloty, Mr Arthur Roberts.
Laying of the foundation stone of Holywell Workhouse infirmary, 15 August 1913. The proceedings took place before a gathering of Guardians and friends, opening with a hymn composed by the workhouse master, Mr Arthur Roberts.

Ysgol y Cyngor, Treffynnon, disgyblion ac un o'r athrawon, 1904. Sefydlwyd Ysgol y Cyngor, sef hen Ysgol Fwrdd Treffynnon, ym 1904. Daniel Pierce oedd y prifathro pan dynnwyd y ffotograff hwn.

Holywell Council School, teacher and pupils, 1904. Previously known as Holywell Board School, the Council School was formed in 1904. At the time of this photograph the headmaster was Daniel Pierce.

Hosbis Gwenffrewi, y Ffordd Newydd, tua 1908. Cynigai'r Hosbis fwyd a llety i bererinion tlawd a ymwelai â Ffynnon Gwenffrewi. Cyn iddi agor ym 1870, arferai Brodyr a lleianod Pantasaff gynnig lletygarwch.

St Winefride's Hospice, New Road, c. 1908. The hospice offered board and lodging to poor pilgrims visiting St Winefride's Well. Prior to its opening in 1870, such hospitality had been provided by the friars and nuns at Pantasaph.

Clwb Bowlio Treffynnon, 1930au. Enillodd y Clwb Gwpan Aled ym 1934.
Holywell Bowling Club, 1930s. The Club were winners of the Aled Cup in 1934.

Tîm Dadlau buddugol Clwb Rhyddfrydol Treffynnon, 1920au. Gwelir yma nifer o ddynion busnes y dref, yn eu plith James Ayr, dilledydd, J. Carman, fferyllydd, W. Hall, rheolwr Gweithfeydd Dŵr Awyrog Gwenffrewi, T.P. Hayden, ffotograffydd, a Thomas Waterhouse, rheolwr Melinau Tecstilau Treffynnon.
Holywell Liberal Club winning team in a debating competition, 1920s. Seen here are a number of the town's businessmen including James Ayr, draper; J. Carman, chemist; W. Hall, manager of St Winefride's Aerated Waterworks; T.P. Hayden, photographer; and Thomas Waterhouse, manager of Holywell Textile Mills.

94

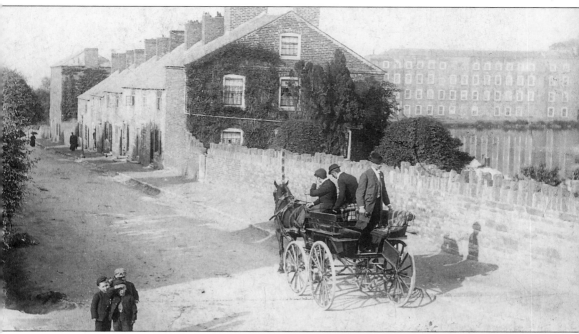

Ffordd Maesglas a Melinau Victoria, tua 1905. Yn y pellter, i'r dde o Jasmine House a bwthyn New Quay, gwelir melinau yd Victoria. Ar un adeg, dyma'r Felin Gotwm Isaf, a oedd yn un o dair melin fawr chwe-llawr a godwyd rhwng 1783 a 1790 gan Thomas a William Douglas mewn partneriaeth gydag Elizabeth Smalley. Llosgodd y melinau yn y 1930au.

Greenfield Road and Victoria Mills, c. 1905. The Victoria corn mills (in the distance, to the right of Jasmine House and New Quay cottage) were formerly the Lower Cotton Mill, one of three large six-storied mills built between 1783 and 1790 by Thomas and William Douglas in partnership with Elizabeth Smalley. The mills burnt down in the 1930s.

Melinau Tecstilau Treffynnon, 1940au. Gweithwyr yn gweithio ar y peiriannau cribo.
Holywell Textile Mills, 1940s. Employees at work on the carding machines.

Eisteddfod y Gobeithlu, tua 1910. Cynhelid yr eisteddfod flynyddol hon ar Ddydd Mercher y Pasg. Byddai'r Gobeithlu'n hyrwyddo dirwest a moesoldeb ac yr oedd ar ei anterth yn ystod blynyddoedd cynnar y ganrif hon.

Band of Hope eisteddfod, c. 1910. This annual event took place on Easter Wednesday. The Band of Hope movement, crusading for temperance and morality, enjoyed its strongest following in the early years of this century.

Diddanu milwyr ar ôl iddynt ddychwelyd o'r Rhyfel Mawr, tua 1918.
Troops being entertained after returning from the First World War, c. 1918.

Rhan Naw/Section Nine
Glannau Dyfrdwy Diwydiannol
Industrial Deeside

Cei Connah: Ferguson & Baird, adeiladwyr llongau, tua 1890. Yn adeiladwyr sgwneri am dros 75 mlynedd, sefydlodd Ferguson & Baird eu hiard longau yng Nghei Connah ym 1872.
Ferguson & Baird, shipbuilders at Connah's Quay, c. 1890. Builders of schooners for over 75 years, Ferguson & Baird established their shipyard at Connah's Quay in 1872.

Cei Connah: tafarn y Quay House, 1906. Yn ôl traddodiad, cysylltir y Quay House a'r lan gerllaw â dyddiau cynnar Cei Connah fel porthladd ddiwedd y ddeunawfed ganrif. Frederick Coleclough (a welir gyda'i wraig yn y ffotograff) oedd landlord y dafarn o tua 1895. *The Quay House Inn, Connah's Quay, c. 1906. The Quay House and water-front close by are traditionally associated with Connah's Quay's beginnings as a port in the late eighteenth century. Frederick Coleclough (seen with his wife in this photograph) was licensee of the inn from c. 1895.*

Cei Connah: criw ar y *Kate*, tua 1915. Gwelir Alfred Roberts o Shotton (meistr yr *Hilda* ym 1917, sgwner a adeiladwyd yn Nghei Connah,) yn llywio'r llong. Roedd y *Kate*, sgwner dwy hwylbren a adeiladwyd ym 1862, yn eiddo i James Reney o Gei Connah.
Crew on board the Kate, Connah's Quay, c. 1915. Alfred Roberts of Shotton (master in 1917 of the Connah's Quay-built schooner, Hilda) is seen here navigating. The Kate, a two-masted schooner built in 1862, was owned by James Reney of Connah's Quay.

Cei Connah: Ysgol (Genedlaethol) St Marks, tua 1900. Ei chodi ar dir a brynwyd oddi wrth y masnachwr Charles Davison o Shotton, agorwyd Ysgol Genedlaethol Gwepra (Ysgol St Marks) ym mis Medi 1837. Yn ddiweddarach, daeth yn neuadd i'r eglwys ar ôl agor Ysgol Babanod Golftyn ym 1908.

St Mark's (National) School, Connah's Quay, c. 1900. Built upon land purchased from Charles Davison of Shotton, merchant, Wepre (St Mark's) National School opened in September 1837. It later became the church hall after Golftyn Infants School was opened in 1908.

Mancot: Eglwys Genhadol St Sylvester, 1895. Cyn i'r eglwys hon gael ei hadeiladu tua 1895, eglwys y Presbyteriaid oedd yr unig addoldy ym Mancot.

Mission Church of St Sylvester, Mancot, 1895. Before this was built about 1895, the only place of worship in Mancot was a church for Presbyterians.

Cei Connah: y Band Arian arobryn, tua 1915. Sefydlwyd y band tua 1905 ac yr oedd yn dal i berfformio ar ddiwedd y dauddegau.

Cei Connah: Côr Meibion, 1913.
Male Voice Choir, Connah's Quay, 1913.

Silver Prize Band, Connah's Quay, c. 1915. The band formed c. 1905 and was still performing in the late 1920s.

Shotton: tîm biliards Clwb Cymdeithasol Gweithwyr Grosvenor, enillwyr Cynghrair Dyfrdwy a'r Ardal ym 1920.
Shotton: Grosvenor Working Men's Social Club billiard team, winners of the Dee & District League in 1920.

Shotton: Pont Penarlâg i gyfeiriad y gorllewin, tua 1890. Agorwyd y bont dros Afon Dyfrdwy yn Shotton gan Mrs W.E. Gladstone ar 3 Awst 1889. Roedd yn cynnwys dau fwa sefydlog ac un darn symudol, a oedd yn galluogi i longau fynd drwyddo ar ôl ei agor. Roedd y bont yn cario'r Rheilffordd o Lerpwl i Ogledd Cymru, gan ddarparu ffordd newydd rhwng Penbedw, Caer a Wrecsam.

Shotton: Hawarden Bridge looking west, c. 1890. The completed bridge over the Dee at Shotton was opened by Mrs W.E. Gladstone on 3 August 1889. It comprised two fixed spans and one swing section, which when opened allowed shipping to pass through. The bridge carried the Liverpool and North Wales Railway providing a new route between Birkenhead, Chester and Wrexham.

Saltney: hen gwch fferi a phont newydd Jiwbilî Victoria, Lower Ferry, tua 1897. Sefydlwyd dwy fferi ar draws y Ddyfrdwy ym 1744, y naill yn Lower Ferry (Queensferry) ar gyfer cerbydau ac anifeiliaid, a'r llall yn Higher Ferry (Saltney Ferry) ar gyfer teithwyr ar droed. Daeth gwasanaeth y cychod fferi i ben yn Queensferry ym 1897 pan gwblhawyd pont Jiwbilî Victoria.

Saltney: old ferry boat and new Victoria Jubilee bridge, Lower Ferry, c. 1897. The two ferries across the Dee at Lower Ferry (Queensferry) for carriages and animals, and Higher Ferry (Saltney Ferry) for foot passengers, were established in 1744. The ferry boat service at Queensferry ended in 1897 with the completion of the Victoria Jubilee bridge.

Queensferry: 'The Sailor's Home', Comin Saltney, tua 1900. Fe'i codwyd yn hostel ar gyfer morwyr a'i drwyddedu'n ddiweddarach fel addoldy. Dymchwelwyd yr adeilad ar gyfer lledu'r ffordd tua 1960.

Queensferry: 'The Sailor's Home', Saltney Common, c. 1900. Erected as a hostel for sea-faring folk it was later licensed as a place of worship. The building was pulled down during road widening about 1960.

Queensferry: torri'r dywarchen ar gyfer y Capel Wesleaidd newydd ym 1909. Fe'i enwyd yn Gapel y Drindod yn ddiweddarach, ond daeth ei gyfnod i ben ym 1964. Eglwys Babyddol sydd yma heddiw.

Cutting the sod for the new Wesleyan Chapel, Queensferry, 1909. Later known as Trinity chapel, it became redundant in 1964. It is now a Roman Catholic church.

Queensferry: merched yn gweithio yn y ffatri arfau, tua 1917. Sefydlwyd ffatri ffrwydron fawr yn Queensferry ym 1917 i wneud cotwm nitrig a TNT. Ar ei hanterth, cyflogai 7,300 o bobl, bron eu hanner yn ferched. Caeodd ym 1918.

Women munition workers at Queensferry, c. 1917. In 1915 a large explosives factory was established at Queensferry manufacturing guncotton and TNT. At its peak it employed 7,300 people, nearly half of them women. It closed in 1918.

Queensferry: Welsh Road, Garden City, tua 1910. Adeiladwyd tai Garden City ar gyfer gweithwyr Gwaith Dur John Summer a'u teuluoedd, gyda bron 300 yn cael eu codi rhwng 1910 a 1913 i ddiwallu anghenion y gweithlu. Cynyddodd nifer y gweithwyr yn gyflym, o tua 250 yn 1896 i 3000 ym 1910.

Welsh Road, Garden City, Queensferry, c. 1910. Garden City was built to house employees and families of John Summers' steelworks. Nearly 300 houses were completed between 1910 and 1913 to meet the needs of a rapidly increasing workforce (from about 250 in 1896 to 3,000 in 1910).

Shotton: Gwaith Dur John Summers (Hawarden Bridge), 1940s. Ym 1896, prynodd John Summers a'i Feibion, o Stalybridge, Swydd Gaerhirfryn, ddarn mawr o dir yn Shotton lle'r oedd sefydlu cysylltiadau da ar y rheilffordd ac ar y môr yn edrych yn addawol iawn. Agorodd y gwaith dur cyntaf yno ym 1902, a pharhawyd i gynhyrchu dur yn Shotton tan 1980.

John Summers (Hawarden Bridge) Steelworks, Shotton, 1940s. In 1896, John Summers & Sons of Stalybridge, Lancashire acquired a large tract of land at Shotton affording good potential sea and rail communications. The first steelworks opened there in 1902, and steelmaking continued at Shotton until 1980.

Shotton: ffwrnais dur, tua 1910.
Shotton: tapping steel furnace in operation, c. 1910.

Brychdwn: Gwesty'r Glynne Arms, tua 1905. Arthur Ratcliffe (a welir yma gyda'i deulu) oedd perchennog y gwesty yn ystod y cyfnod hwn; yr oedd yn ŵyr i Daniel Ratcliffe, sefydlydd Gwaith Haearn Penarlâg.

Glynne Arms Hotel, Broughton, c. 1905. The hotel was owned at this time by Arthur Ratcliffe (seen here with his family), grandson of Daniel Ratcliffe, founder of Hawarden Ironworks.

Ymgyrch etholiadol yn Saltney, 1922. Gwelir yn y llun Ernest Joseph Smith, ei wraig a'i rieni yn ymgyrchu dros yr ymgeisydd Rhyddfrydol y tu allan i 30 y Stryd Fawr, Saltney.

General Election at Saltney, 1922. Ernest Joseph Smith, his wife and parents are seen here campaigning for the Liberal candidate outside 30 High Street, Saltney.

Eulô: ystafell botelu Castle Hill Brewery. Sefydlwyd y bragdy gan John Fox a James Heyes ym 1844; yn oedd yn berchennog ar nifer o dafarnau yng Nglannau Dyfrdwy a chyflenwai gwrw iddynt. Caeodd ym 1948.

Bottling room of Castle Hill Brewery, Ewloe. Castle Hill Brewery, founded by John Fox and James Heyes in 1844, supplied and owned many public houses in Deeside. It closed in 1948.

Saltney: trên yn siediau Cyffordd Yr Wyddgrug, 1930au. Byddai trenau London and North Western Railway yn dod yma er mwyn rhoi gwasanaeth iddynt a'u glanhau. Ymhlith y dynion yn y llun y mae Harry Settle a Jack Allison, ffitwyr, a Ted Wright, gwneuthurwr bwyleri.

Saltney: locomotive at Mold Junction railway sheds, 1930s. London & North Western Railway locomotives were brought here to be serviced and cleaned. The men in the picture include Harry Settle and Jack Allison, both fitters, and Ted Wright, boilersmith.

Saltney: iard longau Crichton, Saltney, 1925. Agorodd Crichton's & Co ei iard yn Saltney ym 1913. Roedd y cwmni'n gwneud amrywiaeth mawr o longau, gan gynnwys llongau pysgota, tynfadau a stemars olwyn. Mae'r ffotograff yn dangos union eiliad lansio fferi-stemar *Lurgurena* (a adeiladwyd ar gyfer gweithio yn Tasmania, Awstralia).

Cei Connah: sgwner *Robert Brown*, tua 1895. Wedi ei hadeiladu ym 1874 a'i chofrestru yng Nghaer ym 1888, yr oedd y sgwner frig-hwyliau hon yn eiddo i'r Capt W. Hewitt o Gei Connah. Roedd ganddi ddwy hwylbren yn wreiddiol ac ychwanegwyd un arall yn ddiweddarach. Fe'i suddwyd ym Môr Hafren ym 1917 gan long danddwr o'r Almaen.
The schooner, Robert Brown, Connah's Quay, c. 1895. Built in 1874 and registered at Chester in 1888, this two (later three) masted topsail schooner was owned by Capt W. Hewitt of Connah's Quay. It was sunk in the Bristol Channel in 1917 by a German submarine.

Crichton's shipyard, Saltney, 1925. Crichton's & Co. opened its Saltney yard in 1913. The company made a wide range of vessels including trawlers, tugs and paddle steamers. The photograph captures the exact moment of the launch of the steamer ferry Lurgurena *(built for service in Tasmania, Australia).*

Saltney: cystadleuaeth rhybedu â llaw yn iard longau Crichton, 1918. Llwyddwyd i sicrhau record o 2,007 o rybedion mewn $6\frac{1}{2}$ awr yn ystod y gystadleuaeth hon.

Hand-rivetting contest at Crichton's shipyard, Saltney 1918. A record of 2,007 rivets in $6\frac{1}{2}$ hours was achieved during this contest.

Sandycroft: Gweithwyr ffowndri, tua 1890. Daeth y Ffowndri i Sandycroft ym 1862. Gwnâi beiriannau ar gyfer cloddio, a pheiriannau trydan o'r 1890au ymlaen.
Foundry workers at Sandycroft, c. 1890. The Foundry came to Sandycroft in 1862. It made mining machinery, and from the 1890s, electric motors.

Sandycroft: Rheolwyr a staff y ffowndri, tua 1901. Yn y grŵp y mae William Kelly, rheolwr y gwaith.
Foundry managers and staff, Sandycroft, c. 1901. The group includes William Kelly, works manager.

Rhan Deg/Section Ten

Pentrefi Sir y Fflint
Flintshire Villages

Bangor-is-y-Coed: hyd nes i'r gwaith o gryfhau'r argloddiau gael ei gwblhau yn y 1950au, byddai afon Dyfrdwy'n gorlifo i'r pentref yn aml a defnyddiai rhai o'r bobl leol gyryglau ar gyfer mynd o gwmpas. Y llifogydd ym 1910.
Flooding at Bangor in 1910. Until the work of strengthening the embankments was completed in the 1950s, the River Dee often overflowed, flooding the village and some local people employed coracles as an appropriate means of transport.

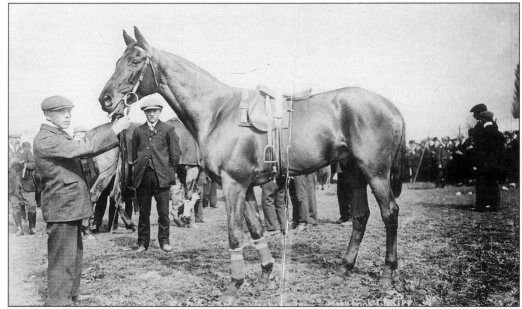

Bangor-is-y-Coed: Canter Home, enillydd y Ras Traws Gwlad ym Mangor-is-y-Coed ym 1907, yn cael ei ddangos cyn ras.
Canter Home, winner of the Bangor Steeplechase in 1907, is paraded before a race.

Mr Campbell, cychwynnydd cyntaf y rasys ym Mangor-is-y-Coed. Cynhaliwyd y Ras Traws Gwlad gyntaf ym Mangor-is-y-Coed ar 25 Chwefror 1859 ac erbyn heddiw mae'n ddigwyddiad rheolaidd ar galendr y byd rasio.
Mr Campbell, the first starter of the Bangor-on-Dee races. Nowadays a regular feature in the racing calendar, the first Bangor-on-Dee steeplechase took place on 25 February 1859.

Eulô: Fferm Carline yn y 1950au. Dymchwelwyd y fferm a'r adeiladau ym 1965 er mwyn adeiladu ffordd newydd.
Carline's Farm, Ewloe in the 1950s. The farm and outbuildings were demolished in 1965 to make way for a new road.

Eulô: teulu y tu allan i dafarn y Stag's Head tua 1916. Sylwch ar y cart cwrw a dynnid gan geffylau, a'r arwydd yn hysbysebu 'Fox's Ales and Stout'.
Family group pictured outside the Stag's Head Inn, Ewloe, c. 1916. Note the horse-drawn brewery dray and the sign advertising 'Fox's Ales and Stout'.

Eulô: dymchwel simdde yng Nglofa'r Elm, tua 1928; tynnwyd y llun wrth iddi ddisgyn.
The demolition of a chimney at Elm Colliery, Ewloe, c. 1928, captured in mid-descent.

Cilcain: car yn mynd heibio i dafarn y Ceffyl Gwyn yn y 1950au. Roedd y'r adeilad yn y blaendir ar y chwith yn efail y pentref ar un adeg.
A lone motor-car passes the White Horse Inn, Cilcain in the early 1950s. The building in the left foreground was once the village smithy.

The Meet of Sir Watkin's Hounds at Bettisfield Pa

Llysbedydd (Bettisfield): cyfarfod hela yn Bettisfield Park gyda helgwn Syr Watkin Williams Wynn tua 1912. Y tu ôl i'r helwyr gwelir ffrynt dwyreiniol rhyfeddol y tŷ gyda'i dŵr belvedere canolog o'r 1840au. Dymchwelwyd y rhan sydd i'r dde o'r belvedere yn fuan ar ôl yr Ail Ryfel Byd.

A meet of Sir Watkin Williams Wynn's hounds at Bettisfield Park, c. 1912. Pictured behind the huntsmen is the remarkable east front of the house with its central belvedere tower from the 1840s. The range to the right of the belvedere was demolished soon after the Second World War.

Plas Coedllai, 1907. Fe'i adeiladwyd ar gyfer George Wynne, rhwng 1724 a 1726; gwnaeth ei gyfoeth o fwynglawdd plwm ar fynydd Helygain.

Leeswood Hall, 1907. This was built between 1724 and 1726 for George Wynne, whose wealth derived from a lead mine on Halkyn Mountain.

Gatiau Gwynion Plas Coedllai, can troedfedd o waith haearn addurnol sy'n haeddiannol enwog ac a dadogir i'r brodyr Davies o'r Bers.

The White Gates of Leeswood Hall, a justly famous one hundred foot expanse of decorative ironwork attributed to the Davies brothers of Bersham.

116

Caerwys ym 1905: roedd yr hen groes yn cynnig cysgod yn ystod dyddiau poeth cyfnod Edward.
Caerwys in 1905: the old cross offered shade on this Edwardian summer day.

Caerwys: tafarn y Piccadilly tua 1925. Mae'n ymddangos bod y man cyfarfod hwn yn cynnig amryw ddulliau o deithio.
The Piccadilly Inn in Caerwys around 1925. This popular meeting place appears to be offering a choice of horsepower.

Nercwys: yr Orendy ym Mhlas Nerquis, Mehefin 1959. 1638 yw dyddiad y Plasdy, a gynlluniwyd gan Evan Jones; ychwanegwyd yr orendy gothig yn gynnar yn y bedwaredd ganrif ar bymtheg.
The orangery of Nerquis Hall, Nercwys, June 1959. The hall, built to a design of Evan Jones, dates from 1638; the gothic orangery was added in the early nineteenth century.

Aelodau o dîm achub Pyllau Glo Sir y Fflint 1927-8. Lleolwyd y tîm yng nglofa Nercwys. O'r chwith i'r dde: Tom Roberts (hyfforddwr), Bill Matthias, Bill Burroughs, Cecil Lloyd, Jack Williams, Eli Davies, Len Powell.
Members of the Flintshire Mines rescue team 1927-8 which was based at Nercwys Colliery. From left to right: Tom Roberts (instructor), Bill Matthias, Bill Burroughs, Cecil Lloyd, Jack Williams, Eli Davies, Len Powell.

Yr Hôb: Group Six o Ysgol y Cyngor, Yr Hôb, gyda'u hathrawon, ym 1924.
Group Six of Hope Council School with their teachers in 1924.

Gronant: dathlu'r dychweliad, 1919.
'Welcome Home' celebrations at Gronant in 1919.

Sba Caergwrle, tua 1910. Roedd y Sba a'r Ffynhonnau'n atyniadau poblogaidd ar gyfer ymwelwyr o ogledd-orllewin Lloegr ddechrau'r ganrif. Gellir gweld peiriant pwyso o gyfnod Edward yn y blaendir ar y chwith.
Caergwrle Spa, c. 1910. At the turn of the century, the spa and wells were popular attractions for visitors from the north-west of England. An Edwardian weighing machine is in the left foreground.

Ysceifiog: yr hen a'r ifainc yn mwynhau'r cysgod a roddir gan swyddfa'r post, tua 1910.
Ysceifiog: young and old enjoy the shade cast by the village post office, c. 1910.

Hanmer: llun o'r pentref yn ystod haf 1914, yn dangos toeon gwellt a oedd mor gyffredin ym mhentrefi Maelor Saesneg.

Hanmer: a view of the village in the summer of 1914, showing the thatched roofs common to many villages in the English Maelor.

Castell Helygain, tua 1920. Adeiladwyd y tŷ rhwng 1824 a 1827 gan John Buckler ar gyfer ail Iarll Grosvenor a gwnaed ychwanegiadau gan Douglas a Fordham ym 1886 ar gyfer Dug cyntaf Westminster.

Halkyn Castle, c. 1920. This house was built between 1824 and 1827 by John Buckler for the second Earl Grosvenor and additions were made by Douglas and Fordham in 1886 for the first Duke of Westminster.

Maesglas: adfeilion Abaty Dinas Basing ym 1958. Fe'i sefydlwyd yn gartref i'r Urdd Sauvigniac o Ffrainc, mwy na thebyg gan Ranulf, iarll Caer, ym 1131; yn ôl y traddodiad, trosglwyddwyd y to i eglwys y plwyf, Cilcain, adeg Diddymiad y Mynachlogydd ym 1536.

Greenfield: the ruins of Basingwerk Abbey in 1958. Founded as a house of the French Sauvigniac order, probably by Ranulf, earl of Chester, in 1131; tradition has it that the roof was transferred to the parish church of Cilcain following the dissolution of the monasteries in 1536.

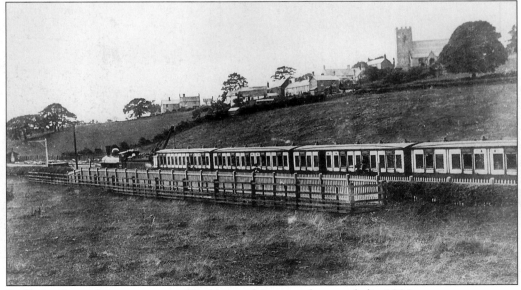

Bodfari: trên teithwyr yng ngorsaf Bodfari, gyda'r pentref yn y cefndir, 1904.
Passenger train at Bodfari station, with the village in the background, 1904.

Owrtyn: y cigyddion wrth eu stondin y tu allan i hen neuadd y farchnad, tua 1890.
Overton: butchers at their stall outside the old market hall, c. 1890.

Llanasa: criw a chefnogwyr bad achub y Parlwr Du, yr *H.G. Powell*, ar 5 Mehefin 1896.
Adeiladwyd y cwch ym 1895 ar gost o £1,500.
*Llanasa: crew and supporters of the Point of Ayr lifeboat, the H.G. Powell on 5 June 1896. The boat
was built in 1895 at a cost of £1,500.*

123

Gwaenysgor: seiri coed y tu allan i'w gweithdy drws nesaf i Arweinfa, tua 1915.
Gwaenysgor: joiners outside their workshop adjoining Arweinfa, c. 1915.

Gwaenysgor: Band Pres Gwaenysgor yn ymgynnull y tu ôl i'r Gelli Aur, tua 1870.
The Gwaenysgor Brass Band assemble behind Golden Grove, c. 1870.

Cei Mostyn, tua 1905; cyfeirir
at longau yn yr ardal hon yn
Llyfr Domesday.
*Mostyn Quay, c. 1905; shipping
in this area was mentioned in the
Domesday Book.*

Rhuddlan: yr hen Senedd-dy
tua 1960, safle'r Senedd a
gyhoeddodd Statud Rhuddlan
ym 1283.
*Rhuddlan: the Old Parliament
House, c. 1960, and once the site
of a Parliament that enacted the
Statute of Rhuddlan in 1284.*

Pentre-moch: gwibdaith Ysgol Sul yr eglwys i New Brighton yn ystod y dauddegau cynnar. Swallow yw'r cerbyd, wedi ei gofrestru fel siarabang ar gyfer 18 o bobl gan Thomas Charles Roberts o Pentre-moch ar 13 Mai 1920.

Northop Hall: a church Sunday school outing to New Brighton in the early 1920s. The coach, a Swallow, was registered as an eighteen-seater charabanc by Thomas Charles Roberts of Northop Hall on 13 May 1920.

Diserth: ar adeg pan oedd sŵn carnau ceffylau'n gyffredin iawn, 1908.
Dyserth village when the sound of hooves was more commonly heard, 1908.

Wyrddymbre (Worthenbury): merlen a thrap yn teithio trwy strydoedd tawel y pentref ar droad
y ganrif.
Worthenbury: a pony and trap travel the quiet streets of the village at the turn of the century.

Gwarchodlu Cartref Nannerch, Licswm ac Ysceifiog yn Fferm Bryn Ffynnon
ym 1941.
The Nannerch, Lixwm and Ysceifiog Home Guard at Bryn Ffynnon Farm in 1941.

Maesglas: Abbey Mills, cwmni papur Grosvenor Chater ym Maesglas, tua 1930.
The Grosvenor Chater paper company's Abbey Mills at Greenfield, c. 1930.

Chwitffordd: Downing, tua 1900. Difrodwyd yr adeilad, a fu unwaith yn gartref i deulu Pennant, yn ofnadwy gan dân ym 1922 a dymchwelwyd yr adfeilion ym 1953.
Whitford: Downing, c. 1900. This one-time seat of the Pennant family was badly damaged by fire in 1922 and the ruins were demolished in 1953.